STEVE
JULIA

Ces hommes qui ont peur d'aimer

Préface de Josette Ghedin Stanké

Traduit de l'américain
par Jean-Louis Morgan

Bienêtre

À Carla

Titre original :
MEN WHO CAN'T LOVE

Sommaire

Avant-propos

Ces hommes qui ont peur d'aimer est d'abord un livre d'hommes, comme *Ces femmes qui aiment trop* fut un livre de femmes, mais les deux servent le même but : éclairer chacun sur soi et sur l'autre, en action dans la relation amoureuse. Ces deux dynamiques, la peur d'aimer et le trop aimer, ne sont pas exclusives à un sexe. Elles sont peut-être plus répandues d'un côté, mais elles marquent nos relations mutuelles. Pour que ces jeux de forces cessent, il faut qu'ils soient reconnus par les deux : celui qui impose et celui qui subit.

Les auteurs de ce livre approchent l'incapacité masculine de maintenir une relation d'amour comme une réponse à la peur phobique de s'engager. Pour l'homme qui ne sait pas aimer, se décider pour une femme c'est se priver des autres ; aimer une femme c'est lui vouer sa vie qu'il perd pour l'éternité ; s'ouvrir à la relation amoureuse c'est s'exclure, s'aliéner dans une prison où il n'y a pas de place pour deux. Sa mesure : tout ou rien, tout ET rien. Au début, il s'emballe, il s'offre, il veut TOUT. En face du tout, la panique l'empoigne et, pour y survivre, il revient au RIEN.

Pour la femme qui déjà aime trop, voici l'occasion de se dépasser. Elle ouvre, donne, pardonne. Trop. Elle n'a pas le réflexe de discerner le trop du RIEN qui survient. Plutôt que de refuser l'inacceptable, elle se blâme, elle se met en quatre pour réparer ce qu'elle n'a pas fait, elle surabonde de sollicitude et d'aveuglement, ce qui met l'homme en face de ce qu'il craint comme la peste : l'amour qui s'impose.

Du négoce entre l'homme qui a peur d'aimer et la femme qui aime trop naissent les aberrations des cercles vicieux. Plus il rend la relation impossible, plus elle travaille l'abnégation et l'amour sans condition.

L'homme enterré sous la peur d'aimer n'est, bien sûr, pas l'homme dans son entier, pas plus que la femme qui aime trop n'est toute la femme. Tous les deux partagent le même manque : ils ne s'aiment pas eux-mêmes. Elle, elle projette ce vide en lui et lui donne ce qu'elle voudrait recevoir. Lui, il se ferme à l'amour pour ne pas ressentir son besoin. Ni l'un ni l'autre n'est capable d'être devant son propre manque, qu'il aurait pu soulager en comptant sur l'amour de soi.

Le mérite de ce livre est de suivre à vif l'escalade de la panique dans la relation trébuchante, chez la femme qui aime trop et l'homme piégé par la peur de s'engager.

Il faut lire les pérégrinations de ces doubles de nous-mêmes pour nous y reconnaître et décider qu'ils ne seront plus nous.

Josette GHEDIN STANKÉ

Introduction

Bien des femmes aiment des hommes qui ne leur rendent pas leur amour, des hommes qui ont si peur de s'engager qu'ils les maltraitent, les abandonnent, ou combinent ces mauvais traitements. Malgré tout ce qui a pu être écrit sur le sujet, la plupart des femmes ne comprennent toujours pas ce qui se passe ou n'ont aucune idée du problème. Pire, certaines d'entre elles pensent qu'il s'agit de quelque chose qui n'arrive qu'à elles.

J'ai écrit ce livre afin d'expliquer clairement aux femmes que leurs expériences individuelles ne sont pas uniques. En d'autres termes, vous n'êtes pas la *seule* à vous faire traiter de cette façon cavalière. Il y a de fortes chances pour que votre ex-conjoint ou ami traite de la même façon *toutes* les femmes avec lesquelles il entretient quelque rapport. Cet ouvrage permettra également aux femmes de bien saisir *pourquoi* de telles choses surviennent, de comprendre les composantes de l'engagement amoureux, qui effraie tant certains hommes, et de voir comment cette crainte peut les conduire à afficher des comportements bizarres, troublés ou contradictoires. De plus — et c'est ce qui est le plus important —, ce livre aidera les femmes à réagir en conséquence.

Il est fréquent que les femmes se culpabilisent en se disant qu'elles attirent ce genre d'individus et que, par conséquent, elles doivent en accepter la pleine responsabilité. Il s'agit là d'une erreur funeste. La raison pour laquelle tant de femmes se retrouvent avec ce type d'hommes ne réside pas dans quelque désir inconscient de s'infliger une punition. Ce n'est pas non plus parce qu'elles font preuve de faiblesse. C'est tout simplement qu'un grand nombre d'hommes sont affligés de ce problème. Certains d'entre eux surmonteront éventuellement leurs craintes mais d'autres ne seront *jamais* capables de s'engager, peu importent les circonstances. C'est pourquoi il est capital que les femmes comprennent et acceptent ce fait et qu'elles apprennent à identifier et à éviter les scénarios les plus pénibles.

Je pense que la plus grande partie des sentiments confus et des malentendus qui existent chez les femmes résultent d'un engagement à sens unique dont elles font les frais. Je m'explique : trop souvent, la crainte de s'engager que manifestent les hommes est envisagée d'un point de vue exclusivement féminin et les conseils qu'elles reçoivent de leurs amies reflètent ce point de vue. Cependant, le problème prend sa source dans l'esprit des *hommes* et le seul moyen de le résoudre est de pénétrer dans le subconscient masculin et d'en exposer le fonctionnement.

Il ne faut toutefois pas sauter aux conclusions. Si je parais, dans la majorité des pages qui suivent, ne parler que de *lui* et de *son* problème, ce n'est pas parce que je veux perdre de vue *vos* propres besoins. Ce n'est pas non plus parce que je tiens à ce que vous le preniez en pitié, que vous vous fassiez du souci pour sa personne, que vous vous chargiez de le changer ou de le psychanalyser. Seul un spécialiste peut *lui* venir en aide.

Je tiens simplement à vous fournir des pistes de réflexion qui *vous* permettent de vous ressaisir et de vous aider. Ainsi, pour réagir au problème du manque d'engagement, il est nécessaire que *vous* compreniez ce qui se passe dans sa tête. Sans cette prise de conscience lucide, vous risquez de demeurer à sa merci. Grâce à elle, vous posséderez les outils qui vous permettront de reprendre le contrôle de votre vie et de votre relation amoureuse. C'est seulement alors que vous serez en mesure de recevoir le genre d'amour que vous souhaitez et que vous méritez.

PREMIÈRE PARTIE

La dynamique masculine de la phobie de l'engagement

1

Le problème de l'engagement

Bien des hommes manifestent une peur panique à la seule idée de s'engager. En tant que femme moderne, il y a de fortes possibilités pour qu'un jour ou l'autre vous tombiez sur l'un de ces spécimens (ou sur plusieurs !). Il s'agit peut-être de ce garçon qui se gardera bien de vous rappeler après une soirée pourtant fort réussie, ou encore de ce type qui vous poursuit avec assiduité pour vous laisser tomber immédiatement après avoir obtenu ce qu'il voulait. C'est peut-être aussi ce fiancé ou cet amant qui, à l'approche du mariage, s'empresse de saboter votre relation. Ce peut être aussi ce triste sire qui attend que vous soyez mariés pour faire fi de vos sentiments, se muer en coureur de jupons ou se montrer violent. Peu importe la façon dont il s'y prend, il y a de fortes chances pour que vous ayez un jour affaire à un homme qui réagit de manière anormale à l'idée de s'engager. Votre seule présence se traduit pour *lui* par les mots *épouse, mère, plaisir d'être ensemble* et — horreur! — *toujours*. Cela l'effraie au plus haut point et c'est pourquoi il vous plaque. Evidemment, vous n'y comprenez rien car vous ne vous considérez pas comme une menace. En fait, il se peut même que vous n'ayez rien exigé de lui. Si cela peut vous consoler, dites-vous qu'il est aussi incapable d'expliquer sa réaction que vous de la comprendre. Tout ce qu'il sait, c'est que la relation que vous entretenez se traduit pour lui par une sorte de pente savonneuse où il a peur de glisser avant de tomber à l'eau. Pour lui, un élément risque de le pousser. Cet élément, c'est vous, et cela l'angoisse.

Si ces craintes sont ancrées en son esprit, il sabotera ou détruira éventuellement la belle relation que vous entretenez avec lui ou encore s'enfuira sans demander son reste. Il veut être aimé, c'est sûr, mais il a terriblement peur de s'engager. Cela prend l'allure d'une véritable phobie et il s'éloigne de toute femme qui représente pour lui l'archétype classique du « Ils furent heureux et eurent beaucoup d'enfants ». En d'autres termes, si le phobique de l'engagement ne parvient pas à surmonter ses craintes, il sera incapable d'aimer, peu importe son sincère désir de s'en sortir.

Au début, rien ne laissait prévoir une telle réaction. Lorsque vous vous êtes rencontrés, vous avez vu en lui un homme qui avait besoin d'être aimé et qui recherchait votre affection. Cette recherche flagrante du bonheur et la manière dont il affichait sa vulnérabilité vous avaient convaincue que vous vous trouviez sur un terrain solide et que vous pouviez répondre à ses attentes. Mais dès que vous vous abandonnez, dès que vous laissez votre cœur parler, dès qu'il est temps que la relation commence à progresser, quelque chose commence aussi à déraper. Votre ami prend la fuite, soit moralement en effectuant une manœuvre de retrait ou en devenant hargneux, soit physiquement en disparaissant de votre vie. D'une manière ou d'une autre, vous vous retrouvez avec des rêves brisés et une piètre opinion de votre personne. Qu'est-il donc arrivé ? Quel a pu être l'élément déclencheur de ce drame ? Pourquoi tant de femmes doivent-elles subir un scénario aussi pénible ?

Le cas de Michael vécu par Jamie

Jamie se souvient clairement du jour où elle a rencontré Michael :

> « Je venais tout juste d'avoir 28 ans et, même s'il n'y avait pas d'homme dans ma vie, je m'estimais heureuse. Une semaine auparavant, je venais de décrocher un nouvel emploi, en qualité d'adjointe administrative dans une importante compagnie de ballet. J'adorais ce travail, parce que j'aimais la danse. J'occupais un bel appartement avec une fenêtre en saillie dont le loyer était fixé par la municipalité, et j'avais suffisamment d'argent pour m'offrir de temps à autre une soirée au concert. Du Mozart... Après la soirée, mon ancienne compagne de chambre

m'invite à une sauterie. C'est là que j'ai rencontré Michael. Je portais une longue jupe rose et blanc avec un corsage assorti. Il s'approcha de moi et me dit : "Vous avez l'air d'un cornet de glace..." »

Jamie me confia que quelque chose la rebuta dans la manière cavalière dont Michael l'avait abordée et elle décida de l'éviter le reste de la soirée. En rentrant chez elle, elle trouva un message sur son répondeur : Michael lui demandait si elle était libre pour le *brunch* du lendemain. Elle décida de ne pas donner suite. Ce n'était pas que Michael soit dénué de charme, bien au contraire, mais il n'était pas son type d'homme. Il était un peu trop *yuppie* pour elle, trop onctueux, trop sûr de lui et même, pour dire la vérité, un rien trop arrogant.

Il la rappela le lendemain alors qu'elle était absente et laissa un autre message. Avant qu'elle puisse prendre une décision, le téléphone sonna. C'était lui. « Dites-moi... que diriez-vous d'un souper au restaurant ce soir ? » Lorsqu'elle répondit qu'elle était occupée, il la relança pour le *brunch* du dimanche. Elle déclina l'invitation puis, estimant qu'elle y allait peut-être un peu fort, elle commença à parler de tout et de rien. La conversation se poursuivit une quinzaine de minutes. Elle ne se souvient pas de quoi ils parlèrent, sinon de choses légères. Elle apprit à cette occasion qu'il était rédacteur publicitaire et gagnait beaucoup d'argent.

« Je me remémorais tout cela pendant la semaine et me demandais si je n'avais pas eu tort de refuser de sortir avec ce garçon. Je n'étais pourtant pas sollicitée par une foule d'hommes séduisants prêts à m'offrir des soupers dans de grands restaurants. Je n'étais sortie avec personne depuis les six derniers mois. J'en conclus que je me montrais trop difficile. Ce vendredi-là, je décidai d'aller au cinéma avec une copine qui passa son temps en jérémiades sur ses différends avec son ami au sujet de leurs prochaines vacances. Le samedi soir se passa à la maison, où je regardai un film à la télé en m'apitoyant sur mon sort. »

J'ai découvert que beaucoup de femmes entretiennent la crainte de rater l'occasion amoureuse de leur vie. Jamie ne faisait pas exception et, lorsque Michael la rappela le mercredi suivant, elle accepta son invitation à dîner. Elle fut surprise de le voir exposer si franchement sa propre vie et de s'intéresser à la sienne. La sensibilité dont il faisait preuve avait quelque chose de touchant. Il lui raconta comment jusqu'à présent il avait fréquenté une dame qui était davantage préoccupée par sa carrière et par ses problèmes d'investissements immobiliers que par lui-même. A l'heure des confidences, Michael déclara qu'il recherchait une femme comme Jamie, une personne qui savait où placer ses priorités. Elle fut ravie de constater qu'il était d'accord avec sa philosophie, mais se demanda comment il pouvait bien savoir dans quel ordre elle agençait les choses qui lui semblaient les plus importantes. Il lui répondit qu'il était temps pour lui de penser à s'acheter un chien et une auto familiale, et de se choisir une compagne. Il ajouta qu'en menant une vie rangée il pourrait consacrer beaucoup plus de temps à l'aspect purement créatif de son travail, c'est-à-dire l'écriture, et moins à l'aspect purement mercantile, c'est-à-dire la publicité. Il déclara à Jamie qu'il trouvait passionnant le fait qu'elle ait déjà composé de la musique : « Si les choses marchent bien entre nous, lui confia-t-il, peut-être nous retrouverons-nous en banlieue dans une spacieuse maison victorienne. Je pourrai enfin écrire le roman à succès du siècle pendant que vous effleurerez les touches du piano à queue dans le salon. » Jamie se garda bien de lui avouer que son champ d'intérêt musical se bornait au rock, mais la perspective d'une telle vie la charma.

> « Lorsque Michael prit congé, il me demanda si j'aimais aller à la plage. Je lui répondis que oui et nous nous donnâmes rendez-vous pour dimanche. Il se montra des plus attentionnés, me passa de la crème solaire sur les épaules, m'accompagna dans les brisants en s'assurant que je ne risquais rien... Je suis une fille du Midwest et ne connais pas la mer. Après la baignade, nous nous sommes rendus dans un petit restaurant un peu excentrique fréquenté par les gens du coin. Il m'avait vanté sa sauce aux palourdes, qui était d'ailleurs excellente. Michael redoublait tellement d'attentions à mon égard que j'en fus émue. Il tartinait même mon

> pain. Il jouait avec mes cheveux, m'embrassait dans le cou lorsque personne ne regardait, bref, je me sentais absolument irrésistible... »

Il va sans dire que lorsqu'ils réintégrèrent l'appartement de Jamie, Michael manifesta le désir d'y passer la nuit. Jamie refusa, même lorsque Michael lui expliqua qu'ils avaient passé ensemble une journée si bien remplie et qu'ils s'étaient si bien raconté leur vie en long, en large et en travers que cela équivalait à une fréquentation d'au moins un mois. Toutefois, Jamie ne croyait pas qu'il était aussi intéressé par elle qu'il voulait bien le laisser entendre et, en réfléchissant bien, ne pensait pas que Michael fût véritablement son type d'homme.

Cette semaine-là, il dut s'absenter brièvement pour un voyage, mais cela ne l'empêcha pas d'appeler Jamie chaque soir de sa chambre d'hôtel et de lui parler longuement. Il devait revenir vendredi soir et il lui expliqua comment ils allaient flâner et faire l'amour ce prochain week-end. Il avait parlé d'aller au cinéma, mais ils passèrent la majeure partie de leur temps dans l'appartement.

> « Michael me répétait que son travail était épuisant, que j'étais son refuge, la seule personne avec qui il avait envie de passer son temps. Il faut dire aussi que notre entente sexuelle avait atteint une perfection et une intimité remarquables. Notre lien semblait s'échafauder de manière durable et il faisait de moi sa confidente.

Il me déclara que je le rendais heureux. Je me sentais bien, parfaitement bien. C'était le bonheur. »

Jamie ne rencontra pendant cette période qu'un seul copain de Michael. Il ne fit d'ailleurs qu'une brève apparition, le temps de prendre un verre, et aujourd'hui elle estime que cette rencontre ne fut qu'accidentelle. Un certain vendredi, la mère de Michael, qui vivait au Connecticut, était de passage à New York et il alla dîner avec elle. Jamie pensa qu'il aurait dû l'inviter, mais Michael expliqua que ses parents acceptaient difficilement de rencontrer ses nouvelles compagnes. Il devait d'abord les amadouer. Le week-end de l'Action de Grâces arriva en trombe. Il s'agissait du premier long congé de la rentrée. Michael avait beau lui répéter qu'ils formaient un couple, Jamie savait déjà que ce qui se passerait pendant de tels congés donnerait le ton à leur futures relations.

« Il alla voir ses parents mais se garda bien de m'inviter. J'étais abasourdie. Il en éprouva certainement de la culpabilité puisque, lorsqu'il se présenta le mercredi suivant avec une bouteille de vin et des fleurs, il me déclara qu'il s'en voulait de m'avoir laissée seule. "C'est simple, lui dis-je. Si tu crois que tes parents ne sont pas prêts à m'accepter telle que je suis, pourquoi ne restes-tu pas avec moi ? Tu n'es plus un petit garçon. Accorde-moi la priorité..." Il me répondit qu'il ne pouvait pas faire cela.

« Ce que je trouvais injuste, c'est qu'il

était en train de mettre à jour son *curriculum vitae* et que j'avais accepté de retaper ce document durant le week-end de l'Action de Grâces. Il devait être de retour le lundi et je m'attendais naïvement qu'il m'appelle sans tarder. Il n'en fit rien. Il ne m'appela que le mercredi, et me demanda d'aller prendre un café avec lui. Je trouvais cela bizarre, car d'habitude il ne m'appelait jamais pendant la semaine lorsqu'il travaillait le jour suivant. Je pensais qu'il avait dû réfléchir sur les rapports que nous entretenions et qu'il désirait m'en parler. Il vint me voir chez moi, ramassa son *curriculum vitae* et la soirée se termina au lit. Il me raconta qu'il devait rentrer dormir chez lui parce qu'il n'avait pas de vêtements de rechange. A la porte, il me déclara qu'il m'aimait mais sans parler du week-end passé avec ses parents. Je n'en parlai pas non plus d'ailleurs. Je tenais cet événement pour acquis mais m'inquiétais tout de même un peu. J'avais l'intention de soulever la question lorsque nous aurions plus de temps à y consacrer. Vendredi arriva et il ne m'appela pas pour planifier le week-end. Je commençai à téléphoner à des copines pour leur demander leur avis. Elles me recommandèrent de ne pas bouger et de ne pas avoir l'air de m'en faire. Peut-être assistait-il à quelque réunion. En fin de compte, il ne me donna pas de nouvelles.

«Je n'oublierai jamais le sentiment de vide que j'éprouvais ce vendredi-là après le travail. Sans doute savais-je déjà que c'était fini mais n'osais pas me l'avouer. Si tel était le cas, pourquoi avions-nous fait l'amour le mercredi précédent? Et puis, c'est stupide mais je me faisais du mauvais sang à son sujet. A 22 heures, je n'en pouvais plus et l'appelai. Evidemment, j'obtins son répondeur et raccrochai. Puis je me sentis mal à l'aise à l'idée qu'il se douterait que c'était moi qui avais raccroché. Je rappelai donc et laissai un message. Lorsqu'il rappela, le lendemain, il me raconta qu'il savait pertinemment qu'il aurait dû m'appeler mais qu'il n'en avait pas eu le loisir. Quant à ce samedi, il lui fallait retourner au Connecticut parce que ses parents l'obligeaient à assister à quelque fête familiale. J'étais trop intimidée pour oser lui demander de partir avec lui. Il m'assura qu'il allait me rappeler dimanche et c'est ce qu'il fit. En fait, il passa chez moi. Comme d'habitude, nos rapports furent chaleureux. C'était merveilleux. Il s'assoupit devant la télé et je suspendis son veston. Je ne pus m'empêcher de voir alors un talon de billet de théâtre dépasser de l'une de ses poches. On donnait la pièce à New York et la date du spectacle était celle de l'avant-veille. C'est ainsi que je découvris qu'il me mentait. »

A partir de là, Michael se comporta de manière erratique. Certaines journées, il donnait un coup de fil, tandis que d'autres, il demeurait muet. Il continua à demander à Jamie de le voir mais de manière irrégulière et sans projet arrêté.

« Il me raconta que son travail l'accaparait et que les pressions qui s'exerçaient sur lui l'épuisaient. La semaine qui suivit la fête de l'Action de Grâces, il me vit vendredi et rentra chez lui samedi. La semaine suivante, il vint me voir samedi mais s'éclipsa immédiatement après avoir soupé, en me donnant quelque excuse cousue de fil blanc. A travers ce méli-mélo, il me racontait qu'il m'aimait et me demandait de le supporter un peu plus longtemps. Chaque fois qu'il venait me voir, je m'ingéniais à lui préparer de petits repas fins et je tentais de paraître à mon meilleur. Je ne savais trop quoi faire pour que notre relation connaisse à nouveau l'intensité du début. Cet équilibre instable aurait pu durer un peu plus longtemps, mais Noël arrivait à grands pas. Je n'avais ni les moyens ni le temps d'aller à la maison de mes parents, mais je ne voulais pas passer les fêtes seule. C'est ainsi que j'ai exigé de lui des choses qu'il n'était pas en mesure d'accepter. Je voulais savoir si nous allions passer les fêtes ensemble, mais il ne voulut pas s'y engager. Il me confia qu'il savait que ce n'était pas juste à mon égard mais que dans le fond il ne savait pas ce qu'il voulait. Il affichait une grande fébrilité, blâmait les tensions du bureau, me déclarait qu'il lui fallait du temps pour "penser à toutes ces choses". Comme je lui demandai s'il y avait une autre femme dans sa vie, il me répondit que non mais je pris cela avec un grain de sel.

« Finalement, la semaine précédant Noël, nous nous rencontrâmes après que j'eus insisté pour obtenir des explications sur ce qui avait bien pu se passer entre nous. Il me déclara qu'il trouvait les filles du type "artiste" difficiles à comprendre, "tordues" en quelque sorte, et qu'il voulait prendre du recul pour se dégager de sentiments aussi intenses. Je n'avais jamais fait quoi que ce soit qui eût pu me mériter le qualificatif de "tordue". Je tentai de le pousser à s'expliquer, mais il éluda mes questions. Il se contentait de dire que je l'aimais avec trop d'intensité.

« Il me rappela pour me souhaiter un joyeux Noël, puis raccrocha. J'en fus si ulcérée que je le rappelai et haussai le ton. Il me répondit qu'il ne tenait pas à discuter lorsque je me trouvais dans un tel état. Je lui aurais bien demandé de me rencontrer afin de pouvoir lui dire de vive voix combien tout cela me bouleversait, mais j'avais trop peur qu'il refuse. Après que nous eûmes tous deux raccroché, je me sentis coupable d'avoir élevé la voix et je voulais m'en excuser. Même si je savais pertinemment que cela ne servirait à rien, je me rongeais les sangs en me disant qu'après tout je manquais de compréhension à son égard, que j'avais été folle d'afficher un peu trop ouvertement mes sentiments, que, dans le fond, il avait raison de me repousser. Je voulais le rappeler, mais je craignais qu'il me raccroche au nez. Et voilà, c'était terminé... »

Jamie souffrit beaucoup par suite de cette liaison. Le fait que la rupture soit survenue à la période des fêtes n'arrangeait rien. Elle me raconta comment cette situation l'obsédait. Elle ne pouvait accepter que « son » Michael, celui qui lui avait dit tant l'aimer, la laisse ainsi tomber. Elle chercha des boucs émissaires. Elle commença à blâmer les amis de Michael, puis son enfance et les relations qu'il entretenait avec ses parents. Mais, avant tout, elle se culpabilisa. Elle savait que Michael éprouvait des difficultés à faire confiance à qui que ce soit. Elle aurait dû déployer plus d'efforts pour mériter sa confiance avant de le placer au pied du mur. Mais là encore, peut-être l'avait-elle mis en face des faits un peu trop tard. Si, ce fameux dimanche où il était allé prendre un *brunch* sans elle, Jamie lui avait servi un ultimatum, peut-être que leur relation aurait pris une autre tournure...

Il était possible aussi qu'il ne l'ait jamais aimée. Physiquement, peut-être n'était-elle pas son type. Ou alors, n'était-ce pas exclusivement son physique qui l'attirait ? Il est possible que la seule chose qui l'intéressait était de coucher avec elle. Lorsqu'elle y pensait, cela n'avait pas de sens. En réalité, rien ne semblait avoir de sens pour Jamie, sauf qu'elle se sentait pitoyable. Elle se souvenait de tout ce qu'il lui avait dit au début de leur liaison et en conclut qu'il y avait quelque chose chez elle qui l'avait repoussé. Si elle changeait cela, il serait peut-être possible de le reconquérir. Mais là encore, il était devenu si ignoble qu'elle se demandait si elle voulait encore de lui.

> « Je me sentis totalement trahie par Michael. Il m'avait dit qu'il m'aimait ; je le croyais et m'imaginais que l'amour signifiait quelque chose pour lui. Je ne savais plus que faire, ma souffrance était cuisante. Je m'empressai de me procurer des livres traitant des relations amoureuses. Une de mes copines avait connu le même genre d'expérience et nous passâmes des heures au téléphone à décortiquer les conversations que nous avions eues avec nos hommes respectifs. Souvent, lorsque j'essayais de raconter mon histoire, les gens me regardaient comme si j'exagérais l'ardeur de la cour que Michael m'avait faite ainsi que la violence avec laquelle il m'avait rejetée. Tout cela me gênait et me faisait sentir minable, car je n'arrivais pas à saisir comment il avait pu à la fois dire qu'il m'aimait et me traiter de cette façon. »

Jamie me confia qu'à son avis il existait un secret et que si elle en trouvait la clef elle trouverait une explication plausible. Mais quel pouvait donc bien être ce secret ? Pourquoi Michael avait-il changé ? Pourquoi l'avait-il aussi mal traitée ? Comment un homme sensible pouvait-il se comporter si cruellement ? Lui qui semblait tant l'aimer, comment avait-il pu transformer radicalement son comportement ? Que s'était-il donc passé ? Quel était l'élément destructeur ? Pourquoi cette brutale fin ? Pourquoi avait-il fui l'amour ?

Un cas qui est le mien

Avant de pouvoir répondre à ces questions, il me fallait examiner la manière dont je me comportais avec les femmes et il semblait juste que je sois, dans ce livre, le premier homme à admettre que je souffrais d'une phobie de l'engagement. Lorsque ma dernière liaison prit fin, je pris conscience du fait qu'il existait chez moi quelque chose d'une phobie dans la conduite que j'adoptais avec les femmes. La plupart des excuses que j'invoquais ne tenaient pas debout. Elles avaient fonctionné lorsque j'avais 20 ans, puis 25, mais lorsque j'eus atteint 30 ans, rien n'alla plus. Ce que j'avais l'habitude de considérer comme des incidents isolés ou de petits événements sans conséquence avait pris la forme d'un certain mode de vie. Je sus alors qu'il me fallait faire volte-face.

Cet examen de conscience fut probablement précipité par des coïncidences qui survinrent dans mes situations personnelle et professionnelle. Lorsque ma dernière liaison commença à se désintégrer, je constatai que j'étais en train de faire la promotion d'un livre et que je jouais les gourous. C'était d'autant plus ironique que je commençais à formuler autant de questions que je recevais de réponses.

Les auditoires à qui je m'adressais se composaient principalement de femmes. Cette situation est d'autant plus typique que — et c'est un fait bien connu — les femmes s'intéressent volontiers aux relations interpersonnelles. Les femmes ont tendance à poser davantage de questions, à s'ouvrir spontanément aux confidences, et elles se sentent moins menacées que les hommes par les exercices d'introspection. La plupart de ces femmes étaient de toute évidence secouées et plusieurs d'entre elles me racontèrent qu'elles essayaient de récupérer par suite d'implication émotionnelle auprès d'hommes ayant renoncé à leurs responsabilités et repoussé ce qu'ils considéraient comme étant un spectre : l'engagement. Elles passaient par tant de sentiments contradictoires que, souvent, je me trouvais confronté à une avalanche d'émotions de tous genres.

Je me souviens des aventures qu'elles me racontaient, des histoires filandreuses d'hommes qui les avaient poursuivies avec assiduité et qui avaient exercé sur elles des pressions psychologiques pour qu'elles s'engagent. Lorsqu'elles acquiesçaient finalement, ils se retiraient discrètement ou commençaient à afficher des comportements destructeurs et pénibles afin de saboter la relation. Plusieurs femmes me racontèrent en détail les rendez-vous et les week-ends idylliques, les plans à long terme que leurs ardents amoureux avaient tirés sur la comète... pour s'éclipser soudainement de leur univers. Certains se retirèrent de la scène sur le plan émotionnel ; d'autres cessèrent d'appeler soudainement ou disparurent de manière si radicale que plusieurs femmes en parlaient sur un ton ironique, prétendant s'apprêter à organiser une veillée funèbre pour tous ces pauvres disparus. Elles ne pouvaient trouver d'explication à un comportement non seulement bizarre et imprévisible mais dénué de sensibilité et empreint même de cruauté.

J'adorais parler à ces femmes, car elles me considéraient tour à tour comme Monsieur Sensibilité, Monsieur Compréhension, Monsieur Bon-Garçon ; dans le fond, tout cela n'était qu'une farce. Lorsque je prenais le temps de penser au type de relations que j'avais entretenues jusqu'alors, je ne pouvais m'empêcher de constater qu'à certains moments, je n'avais guère été différent de certains des salopards dont elles avaient à se plaindre. Je n'avais jamais mis d'efforts sérieux à construire une relation. Oh ! bien sûr, j'avais sacrifié sur l'autel de l'engagement, mais seulement du bout des lèvres, et je dus admettre entre moi et moi que j'avais échafaudé des faussetés pour rendre inacceptable une candidate quasi parfaite et mettre un terme à une relation pourtant prometteuse.

Je me mis à penser à toutes les fois où, en compagnie d'hommes, j'avais discuté de vie sexuelle, d'amour ou de relations interpersonnelles, et à toutes les raisons que mes copains m'avaient servies sur les femmes comme prétextes à les laisser tomber. Leur compagne était « trop petite », « trop grande », « trop grosse », « portée à l'anorexie ». Elle avait une mère au caractère difficile, ou un enfant invivable... ou même un chat intolérable! Elle pratiquait une profession incompatible avec la sienne ou au contraire le même métier que lui. Elle avait... Elle était... Je me mis alors à réfléchir sur tous les hommes que je connaissais personnellement et professionnellement ainsi que sur ceux qui étaient venus me demander mon avis après la publication de mon premier livre. Il semblait inconcevable, quoique cela fût toujours possible, que tous ces mal-aimés qui trouvaient tant de bonnes raisons pour vouer leurs anciennes flammes aux gémonies ne puissent pas découvrir la femme de leurs rêves ou faire évoluer leur relation vers un engagement permanent. Etait-il possible que ces hommes fussent les mêmes que ceux dont les femmes que je rencontrais avaient à se plaindre? Toutes ces plaintes ne masquaient-elles pas plutôt une profonde peur de l'engagement? Ces hommes qui me faisaient pitié n'étaient-ils pas des loups déguisés en moutons?

La principale plainte des femmes se résume ainsi: **« Il dit une chose et en fait une autre. »** Un si grand nombre de femmes font état de cette contradiction que je décidai d'en entreprendre l'examen de manière beaucoup plus détaillée. Cela était vrai pour la plupart des hommes célibataires que je connaissais. Il est certain que nous voulons tous vivre une union heureuse, mais ce n'est pas ce que nous réalisons. Pourquoi? Je ne pensais pas être le seul à trouver toutes sortes de bonnes raisons pour ne pas établir de relation durable, mais n'en décidai pas moins de chercher une explication à tout cela. Je demandai donc aux hommes de me dire la vérité. Je tenais à recevoir des réponses franches et pensais savoir comment les obtenir. Toutefois, avant de leur parler, je comprenais qu'il fallait d'abord que j'écoute les femmes et, surtout, que je consulte leur cahier de doléances. Lorsque j'interviewais les hommes, je voulais leur poser des questions précises. Comment les femmes réagissaient-elles lorsqu'elles estimaient avoir été traitées de manière ingrate ? Qu'en penseraient-elles ? Il me fallait d'abord parler à celles-ci.

Confidences de femmes

Tout d'abord, je commençai par interroger une cinquantaine de femmes célibataires. Elles étaient toutes belles, désirables, modernes, et pouvaient toutes beaucoup apporter à un homme. Puis j'essayai de questionner autant de femmes divorcées et de femmes mariées, afin d'avoir une vue aussi impartiale et représentative que possible du problème. Je choisis également des femmes venant des quatre coins du pays et de toutes les couches de la société, et compilai leurs expériences. Certains de leurs récits étaient à peine croyables. J'essayais de ne pas paraître scandalisé lorsqu'elles me racontaient comment des hommes en qui elles avaient placé leur entière confiance leur avaient fait le coup de l'évasion à la Houdini. Les partenaires de deux d'entre elles avaient même disparu pendant qu'elles étaient sous la douche ! Une autre me raconta comment, à

Rome, son fiancé était sorti de leur chambre d'hôtel pour ne jamais revenir. Ces disparitions ne s'étaient jamais produites à la suite d'une querelle ou d'une discussion pénible. Tant de femmes m'ont rabâché l'histoire du fiancé qui s'évapore que je renonce à les compter.

L'un de ces heureux futurs mariés s'engagea même dans un organisme américain d'aide au Tiers Monde, le *Peace Corps*, à l'approche de la date fatidique de son mariage ; deux jours avant celle-ci, il s'envolait vers Bangkok. Inutile de préciser qu'il partit seul ! Des femmes me racontèrent que leurs amoureux transis s'étaient transformés en ennemis et avaient sombré dans un mutisme total dès qu'elles avaient accepté l'alternative de se mettre en ménage ou de se marier et d'avoir des enfants.

Toutes ces femmes se plaignaient en gros d'une même chose : l'abandon et la trahison dont elles avaient été victimes à la suite d'une relation que leur partenaire avait initiée et même encouragée et dont elles avaient fini par attendre beaucoup.

Confidences d'hommes

Nanti de ces renseignements et confidences, je commençai à questionner les hommes. J'avais utilisé, pour leur sélection, les mêmes critères que pour mon échantillon de femmes. La plupart avaient fait des études sérieuses, se disaient plus ou moins sympathiques aux idées féministes et appuyaient les revendications de leurs compagnes. Ces hommes bien élevés et intelligents étaient-ils en même temps ceux qui traitaient leurs amoureuses de manière lamentable ? Que leur infligeaient-ils au juste ? Comment et, surtout, pourquoi ?

Ces hommes avaient-ils un programme préétabli lorsqu'ils amorçaient une idylle ? Savaient-ils d'avance comment ils manipuleraient leur partenaire ? Etaient-ils conscients de leur peur panique de s'engager de manière permanente ? Cette peur les poussait-elle à prévoir ou même à provoquer la dissolution de la relation en trouvant toutes sortes d'excuses pour l'empêcher de se poursuivre ?

J'exigeais des réponses très précises. Certains de ces individus courtisaient-ils ardemment une femme pour ensuite la rejeter après avoir obtenu ses faveurs ? Certains d'entre eux avaient-ils demandé la main de leur amie de manière officielle pour ensuite changer d'idée à la dernière minute ? Si oui, pourquoi ? Qu'avaient-ils fait après ? Certains de ces hommes, venant d'emménager avec une femme, se sentaient-ils si terrorisés par l'engagement qu'ils venaient de prendre, si coincés dans un engrenage qu'ils se muaient en véritables monstres ? Souffraient-ils du syndrome de l'animal en cage, enragé, violent, retournant sa colère contre celle qu'il estime être sa geôlière ? Les hommes se comportaient-ils ainsi afin de prendre leurs distances ? S'arrangeaient-ils pour saboter leur union afin que leur partenaire les laisse tomber ou qu'eux-mêmes puissent ainsi planter le décor de leur propre rupture ? Quels étaient ceux qui devenaient infidèles dès que leur relation amoureuse se révélait vivace ou attachante ? Avaient-ils jamais fui une femme avec qui ils étaient très liés et très intimes, une femme qui avait toutes les raisons d'espérer se faire demander en mariage ou du moins de s'attendre à un meilleur traitement que celui qu'ils lui réservaient ? Existait-il des don Juans charmeurs sortant avec tant de femmes qu'aucune d'entre elles ne recevait une véritable affection ? Beaucoup d'hommes ne choisissaient-ils pas systématiquement des femmes qui ne leur convenaient pas afin d'avoir une bonne excuse pour ne pas faire progresser la relation et pour les quitter à la première occasion ?

Je ne savais pas trop ce que je cherchais, mais je fus interloqué par ce que les hommes me confièrent. Ne mettant pas un instant en doute les récits des femmes sur leurs mésaventures avec des partenaires souffrant de la phobie de l'engagement, pour une raison ou une autre je m'attendais à découvrir des hommes d'un tout autre genre, des aberrations de la nature en quelque sorte, et non les gentils messieurs que j'avais coutume de côtoyer. Je faisais fausse route. Je découvris que certains des hommes que je pensais bien connaître ne me donnaient qu'une version très partielle de la vérité lorsqu'ils parlaient de la tournure de leur liaison ainsi que du pourquoi et du comment de la rupture qui s'ensuivait. Après en avoir terminé avec la première série d'entrevues auprès des hommes, je demeurai convaincu de trois choses :

- Lorsqu'une relation amoureuse devient trop sérieuse, ceux qui craignent de s'engager commencent à se comporter de façon parfaitement irrationnelle.

■ Afin de se rassurer, ces hommes cherchent toutes sortes d'excuses et les trouvent dans les défauts de leur compagne.

■ La plupart de ces paniquards savent pertinemment que leur insistance à dénoncer les aspects négatifs de leur compagne n'est qu'un moyen de rationaliser leur comportement et d'oublier qu'ils souffrent d'une lacune sérieuse, celle d'être incapables de s'engager.

Pourquoi j'ai écrit ce livre

Il existe beaucoup d'ouvrages dans lesquels on tente de donner des conseils aux femmes seules ou délaissées. Je les ai presque tous lus et je peux vous affirmer qu'il s'y trouve une abondance d'informations erronées. La plupart de ces livres ou de ces articles se fondent sur des entretiens exclusivement avec des femmes ou encore sur des entrevues auprès d'hommes menées de manière extrêmement superficielle.

J'ai écrit ce livre pour que les femmes puissent avoir une idée sur la manière de raisonner des hommes et comprendre tout ce que leur problème d'engagement peut impliquer. Pour réussir à obtenir une information pertinente, il me fallait chercher la vérité auprès d'un nombre maximal de représentants du sexe masculin et, lorsque je m'attelai à la tâche, je compris soudainement l'énormité du problème. En effet, les phobiques de l'engagement sont de véritables anguilles qu'on n'arrive pas à saisir car ils refusent même d'aborder la question. La réponse la plus courante est celle-ci : « Ecoutez, je n'ai pas l'intention de discuter de cela maintenant... » Lors de l'enquête, je découvris qu'ils fournissaient volontiers quelques réponses, mais anodines, superficielles, et point final. Plusieurs en effet se sentaient franchement coupables et ne voulaient pas trop penser à ce qu'ils faisaient ou encore parler de ce qui les avait poussés à agir ainsi.

Si je n'avais pas été aussi décidé à aller au bout de cette enquête, je n'aurais jamais obtenu les entretiens de fond que je recherchais. Je parvins à réaliser ce qui était le rêve de bien des femmes : cerner les phobiques de l'engagement, les acculer au mur, les faire sortir de leur retraite, comprendre le mécanisme de leurs raisonnements et, surtout, leur faire dire ce qui était réellement arrivé. En certaines occasions, je m'amusai énormément de leurs esquives : certains hommes cessaient de m'appeler ; d'autres avaient besoin de se faire rappeler 10, 12 ou même 15 fois pour m'accorder un piètre entretien de 5 minutes. J'interrogeais des types qui se disaient incapables de commenter la question pendant qu'ils conduisaient en se rendant au bureau. Enregistreuse en main, je poursuivis littéralement un de ces personnages évasifs jusque dans son appartement pendant qu'il déménageait. J'accompagnais certains hommes à leurs rendez-vous galants, les soudoyais en leur donnant des leçons de tennis gratuites. J'en fus même réduit à laver la voiture de l'un d'eux en échange de confidences.

J'avais la ferme intention de ne pas me retrouver avec une foule d'entretiens superficiels, mais il était très difficile de percer les carapaces et de décider ces personnes à parler. Ces efforts me permirent, entre autres, de comprendre clairement combien il est ardu pour les femmes d'obtenir des réponses franches des hommes qui souffrent d'une phobie de l'engagement.

En contrepartie, non seulement les femmes étaient-elles décidées à répondre franchement, mais elles étaient même prêtes à assumer la pleine et entière responsabilité du problème des hommes ! L'attitude de la grande majorité d'entre elles était aux antipodes de celle des hommes. Lorsqu'elles décrivaient l'homme de leur vie, presque toutes exposaient avec emphase ses qualités. Elles semblaient presque toujours prêtes à justifier l'attitude intolérable de leurs partenaires, même s'il leur fallait pour cela s'accuser de tous les péchés du monde. Elles s'entêtaient à actionner un mécanisme de toute évidence hors d'état de fonctionner. Elles étaient leurs complices.

En toute honnêteté, je ne pense pas que cette différence d'attitude soit fortuite ou encore qu'elle résulte de quelque alchimie de nature biologique. Il semble raisonnable de faire appel au bon sens populaire et d'évoquer la part de responsabilité que l'on attribue aux femmes pour le rôle qu'elles jouent dans notre société.

Des femmes intelligentes, gentilles, jolies, s'apprêtaient à suivre une thérapie parce que, selon leurs propres termes, elles aimaient « trop ». Un comble ! Je n'ai jamais rencontré d'homme qui m'ait dit qu'il avait l'intention d'aller voir un psychologue parce qu'il n'aimait « pas assez » ! On parle de femmes intelligentes qui font un mauvais choix. Dans la vie quotidienne, ce n'est pas nécessairement comme cela que les choses se passent ! Ces femmes ne font aucun choix, *elles sont choisies*, et ce n'est certainement pas parce qu'elles émettent à l'intention de leur futur partenaire quelque signal de type névrotique. La vérité est plutôt que ces femmes, intelligentes et attirantes, intéressent le sexe opposé. Le problème réside dans le fait que nombre d'hommes souffrent d'une pathologie commune : la phobie de l'engagement.

Si vous aviez recueilli autant de témoignages que j'en ai eu à ce sujet, vous ne pourriez vous empêcher de remarquer que toutes les relations marquées au coin de cette phobie possèdent une dynamique commune et se terminent de manière tristement similaire. L'homme affiche un comportement typique facilement identifiable. Les événements se cristallisent en un syndrome que l'on pourrait appeler « recherche du bonheur/réaction de panique ». Je m'explique. Le sujet met tout en œuvre pour faire une cour des plus assidues à la femme de ses rêves jusqu'à ce qu'il réalise que l'amour que lui porte sa compagne ne lui laisse pas — et ne lui laissera *jamais* — la possibilité de décrocher. Dès lors, il commence à percevoir la relation amoureuse comme une sorte de piège. Il s'ensuit en lui de l'anxiété, quand ce n'est pas une réaction globale de panique. Avant que la femme puisse réaliser ce qui lui arrive, l'homme a brisé leur relation et pris la fuite.

On distingue généralement plusieurs étapes dans ces relations et, à l'intérieur même de ces étapes, plusieurs schèmes de comportement. La variable principale réside dans la durée de ces étapes. Certains hommes peuvent être victimes du syndrome « recherche du bonheur/réaction de panique » en une nuit, alors que cela peut prendre des années pour d'autres.

Certains hommes, apparemment très satisfaits d'un premier rendez-vous, ne rappellent jamais parce qu'ils ont une peur irraisonnée de se faire agrafer et traîner à l'autel ou à la mairie. Pour d'autres, les rapports sexuels qui pourraient s'ensuivre présentent un potentiel d'engagement. D'autres encore paniquent lorsque la relation devient un peu trop chaleureuse, ce qui signifie pour eux que leur partenaire commence à être envahissante.

Est-il besoin de préciser qu'une femme risque de se faire littéralement détruire par ce genre d'homme ? La profondeur de son désarroi dépend partiellement du degré de progression atteint par la relation avant que monsieur ne décide d'appuyer sur la commande du siège éjectable. Il existe un dénominateur commun : le partenaire ne manifeste généralement aucun signe avant-coureur à sa compagne, qui ne s'attend donc guère qu'il prenne la clef des champs. Généralement, quelque chose indique à la femme qu'il ne se trouve pas tout à fait dans son état normal, mais elle ne sait pas ce qui a bien pu déclencher son besoin de disparaître.

Le moment où un homme prend la fuite dépend de ce qu'il considère comme un point de non-retour dans le processus de son engagement personnel. Ce seuil critique dépend de plusieurs facteurs, notamment du caractère de l'homme, du comportement de la femme et du degré d'engagement. Peu importe quand ce seuil apparaît, il représente une minute de vérité : celle où un homme regarde une femme et se dit que, s'il ne s'en va pas immédiatement, il se trouvera piégé à jamais.

La panique de l'homme survient généralement à quatre étapes cruciales de la relation.

Des points de non-retour.

Bien des femmes ont perdu quelques soupirants au premier rendez-vous. Ce phénomène survient lorsque le phobique de l'engagement passe un moment merveilleux avec la dame à qui il a donné rendez-vous et décide de ne plus rappeler.

Ecoutons Renée T. :

«Je sais que cela semble un peu fou. Je ne l'ai rencontré qu'une fois, mais ce fut une journée parfaite en tous points. Nous l'avons passée sur un bateau qu'un ami lui avait prêté. Nous avons jeté l'ancre près d'une plage privée et nous nous sommes baignés. Ensuite, nous sommes allés manger du homard dans un restaurant du port.

Cette journée fut très affectueuse. Il me confia qu'il ne s'était jamais senti si bien et me répéta sans cesse qu'il me trouvait jolie. Nous n'avons pas passé la nuit ensemble parce que je devais aller voir ma fille, mais je m'attendais qu'il me rappelle le lendemain matin pour reprendre cette aventure où nous l'avions laissée. Ce ne fut pas le cas. Il ne me demanda plus jamais de sortir avec lui. Je me suis questionnée longtemps sur ce que j'avais pu dire qui l'aurait offensé. Cela vous indique dans quel état de confusion je pouvais me trouver. A un certain moment de la journée j'avais regardé ce bel homme de 1,90 m et lui avais dit : "Que vous êtes grand..." Pour moi, il s'agissait d'un compliment, mais j'étais si persuadée d'avoir commis quelque faute que je me disais : "J'ai dû toucher chez lui quelque corde sensible et il s'est mis à me haïr à cet instant." »

Lorsqu'un homme fait une seule fois l'amour avec une femme et disparaît, il panique au point dit n° 2. Il peut fort bien la rappeler après leur première aventure mais, immédiatement, l'aspect sexuel commence à se détériorer. On le prend pour un don Juan typique, mais la ressemblance entre lui et ce personnage s'arrête là.

Anne B. en témoigne :

« Le plus fort dans cette histoire, c'est que ce gars-là était un ministre anglican vivant à Philadelphie. Je vivais alors à

New York, mais nous avions beaucoup en commun : la musique et quelques amis. Je ne sais si cela peut avoir quelque importance, mais nous étions aussi de la même religion. Nous prenions tous deux nos vacances près d'un endroit où se déroulait un festival de musique et, pendant deux semaines, nous fûmes très proches. A la fin de la première semaine, il me raconta combien ma présence était pour lui importante et qu'il se sentait devenir amoureux. Il parlait d'abondance sur le sens des valeurs, sur l'importance de s'engager et autres choses sérieuses du genre. Nous sommes finalement rentrés à New York et, au lieu de se rendre directement à Philadelphie, il vint chez moi. J'acceptai de faire l'amour avec lui. Une forme de coup de foudre... En me quittant, le lendemain matin, il m'affirma qu'il m'appellerait en arrivant, mais je n'eus aucune nouvelle de lui pendant deux semaines. Lorsqu'il rappela, je sentis que ça n'allait plus. Il me semblait distant et bizarre. J'essayai de l'appeler plusieurs fois, lui envoyai quelques cartes postales et — j'ose à peine l'avouer — un petit cadeau d'anniversaire, mais je n'eus plus jamais de ses nouvelles. J'étais au trente-sixième dessous. J'imputai son comportement au fait que nous vivions dans des villes différentes. Je lui écrivis de longues lettres que, fort heureusement, je me gardai d'envoyer grâce à l'intervention de mes amis. Dans ces missives éplorées, je me chargeais de tous les péchés du monde. Comment se pouvait-il qu'un homme qui passait tant de temps à discourir sur les notions de bien et de mal se conduise ainsi, en véritable goujat? Pendant au moins un an je demeurai persuadée d'avoir fait quelque chose de travers. Il m'arrive encore de penser à lui... »

La plupart des phobiques décrochent à ce stade-ci. Jusque-là, le soupirant semble développer une réelle relation. Les préliminaires sont terminés et il est temps d'aller plus loin. Terrorisé à l'idée de se faire coincer, monsieur saute et déploie son parachute.

« Nous vivions dans des villes différentes, raconte Loris S., lui à Boston et moi à New York. Pendant deux ans environ, nous avions pris l'habitude de nous rencontrer les week-ends et pendant les vacances. Nos relevés de communications interurbaines étaient inimaginables. Il me fit en quelque sorte une demande de vie commune que j'acceptai finalement. Je trouvai un nouvel emploi et il trouva un appartement où j'emménageai. Il était censé m'y rejoindre deux mois plus tard. J'étais à peine installée (mes livres se trouvaient encore dans leurs boîtes) lorsque mon ami se mit à changer. Il commença par retarder la date de son déménagement, puis il ne me rendit plus visite lorsqu'il était censé le faire, ou encore il retardait sa venue. Je pensais qu'il avait peur de se mouiller mais, après tout, il y avait si longtemps que nous nous fréquentions que j'estimais impossible l'idée d'une rupture. Un soir, alors que je lui préparais un souper d'anniversaire, il m'appela en prétextant quelque malaise et ne vint pas. Je lui demandai s'il désirait que j'apporte le souper chez lui. Tandis qu'il me répondait que non, j'entendais des voix hors-champ. J'étais si contrariée que je me rendis chez lui. L'oiseau était sorti. Je l'appelai toutes les demi-heures jusqu'au lendemain matin, mais il était toujours absent. Lorsque je parvins à le joindre au bureau le lendemain, il m'avoua être sorti avec quelqu'un d'autre. Nous nous séparâmes, puis nos relations reprirent. Ce jeu de chaise musicale dura environ un mois. Il devint de plus en plus évident qu'il n'avait aucune intention de mettre nos beaux projets à exécution et qu'il fréquentait d'autres femmes. Cela m'atteint. Je dus suivre une thérapie pour essayer d'en sortir et, plus tard, parvins à me libérer sur le plan émotionnel. »

A ce stade-ci, l'engagement est pris et la relation possède toutes les caractéristiques superficielles de la permanence. Lorsqu'un homme prend panique au point n° 4, les dégâts sont généralement plus graves que dans les autres cas.

Carole R. nous en fait part :

« Lorsque j'épousai Bob, je pensais avoir finalement décroché le bonheur. Il s'agissait pour moi d'un second mariage; mes enfants étaient déjà grands. Bob était merveilleux. Il affirmait m'adorer, être impatient de me passer la bague au doigt, et puis il allait se charger de me faire oublier mon premier mariage raté. En réalité, il commença à se métamorphoser un ou deux jours avant la cérémonie. Par exemple, il se mit à se plaindre du fait que mon aînée ne lui avait pas souri lorsqu'il était entré dans la maison. De petites bêtises... Pourtant, il n'y avait jamais eu d'accrochage avant cela, que ce soit à cause de moi, de mes enfants, de mes amis ou encore de mon travail. Quelques jours après notre mariage, il commença par découvrir toutes sortes de défauts en moi et, à la fin de la première année, rien n'allait plus. J'essayai de faire des efforts, mais cela n'améliorait pas la situation. Il s'ingéniait à trouver d'autres prétextes pour me critiquer de manière incessante. Ma démarche, ma façon de parler ou de faire la vaisselle devenaient des occasions de discorde. Dès que j'entrais dans la pièce, il prenait un air malheureux. Il commença aussi à être malade, à souffrir d'une grippe qui a duré quatre bons mois! J'étais passée par là avant et je compris que ce type d'homme n'était pas fait pour le mariage. Je crois qu'il avait tant insisté pour m'épouser que, secrètement, il voulait que ce soit moi qui mette un terme à notre relation. Lorsque je découvris qu'il courait les jupons, je demandai une séparation de corps et de biens. Je pense que si j'avais été plus jeune et moins sûre de moi, il aurait fallu alors me ramasser à la petite cuiller. »

Une femme aux prises avec un semblable personnage réagit de manière typique. Lorsque la relation s'amorce, il y a de fortes chances pour qu'elle ne soit pas aussi intéressée que son soupirant, mais ce dernier lui fait une cour si assidue qu'elle est séduite par l'intensité de son insistance et que, lorsque tout est fini, elle se retrouve dans un état de confusion totale.

Toutes les femmes à qui j'ai parlé se demandaient ce qu'elles avaient pu faire pour provoquer un tel revirement de situation. Si elles avaient placé l'homme au pied du mur en lui demandant de s'engager, elles se fustigeaient pour avoir précipité les événements et donc sa fuite. Si elles l'avaient laissé agir à sa guise, elles se culpabilisaient de l'avoir laissé établir un style de relation qui portait au départ les germes de sa propre destruction ou de son glissement dans l'inconsistance. Même si, sur le plan intellectuel, elles savaient pertinemment qu'elles n'étaient aucunement coupables d'un sabotage de relation, chaque femme interrogée ne pouvait s'empêcher de chercher une explication au phénomène du non-engagement dans ce qu'elle avait pu faire ou ne pas faire pour éloigner ce compagnon à tout jamais.

Dans la plupart des cas, la relation semblait parfaitement fonctionner. L'un des aspects les plus déroutants du problème réside dans le fait que l'homme prend les jambes à son cou lorsque *tout* semble aller pour le mieux dans le meilleur des mondes. La seule chose faussée dès le départ est que cet homme est incapable de s'engager. Par conséquent, lorsqu'il sent le jour « E » (pour engagement) approcher (même si sa perception est loin de la réalité), il effectue soudainement un virage à 180 degrés, cesse sa cour, commence à s'éloigner et, dans certains cas, semble s'évanouir de la surface de la planète.

Dans un monde idéal, une femme n'aurait qu'à continuer à être ce que tant de femmes *sont*, c'est-à-dire chaleureuse, gentille, belle, équilibrée, compatissante, pour que les hommes tombent à ses genoux. Désolé, ça ne se passe pas ainsi. Les femmes extraordinaires n'ont pas d'extraordinaires relations avec des hommes non moins extraordinaires. Les femmes réagissent en secouant la tête et en pensant qu'elles doivent augmenter leur degré de perfection et d'équilibre, être extraordinaires, parfaites en tous points. Mes recherches ne m'ont pas prouvé que cela fonctionne et voici pourquoi : le phobique de l'engagement a une peur maladive de s'impliquer. Lorsqu'il réalise que vous frisez la perfection, il sait pertinemment que vous êtes quelqu'un de bien avec qui il pourrait se marier et vivre heureux très longtemps. C'est précisément là où le bât blesse, car ce n'est pas ce qu'il est capable de souhaiter. Il lui suffit alors de prendre la fuite. Ce n'est certes pas votre faute, mais son attitude est devenue votre problème et vous en vivez les retombées.

La situation est loin d'être désespérée. Nul n'est tout à fait noir ou blanc. En bien des hommes, il existe une gradation. Si vous entretenez quelque relation avec un phobique ou encore si vous vous posez de sérieuses questions sur l'avenir, je pense que vous pouvez faire certaines choses pour vous protéger et transformer vos relations. Tout d'abord, il faut comprendre le problème et apprendre à le reconnaître dans votre expérience avec un phobique. Il faut aussi saisir jusqu'à quel degré vos réactions programmées risquent d'amplifier le problème. Il est possible de vous protéger lors de vos relations avec des hommes qui craignent de s'engager en apprenant à :

1. Identifier l'homme incapable d'amour (ainsi que son problème) *avant* de vous engager vous-même.
2. Déterminer si l'homme qui vous courtise est capable de changer pour le mieux.
3. Saisir si le jeu en vaut la chandelle.
4. Désensibiliser le phobique de l'engagement avant qu'il ne soit saisi de panique.
5. Refuser d'assumer la responsabilité et la culpabilité du comportement inqualifiable de certains mâles.
6. Modifier votre propre attitude afin de produire des changements dans le comportement de votre ami.
7. L'arrêter avant qu'il ne prenne une fois de plus la fuite.

2

Le parcours de la peur d'aimer chez l'homme

Si vous savez regarder, vous saurez voir l'homme qui souffre de la phobie de l'engagement. Il est coincé entre son besoin d'amour et son incoercible frayeur, et il lui est impossible de dissimuler le conflit qui le ronge. Cet état de confusion comporte un cheminement relativement prévisible, parsemé d'empreintes qui permettent de cerner le problème.

Lorsqu'un phobique rencontre une femme vers laquelle il se sent attiré, l'intensité de l'intérêt qu'il lui porte a souvent sur elle une action lénifiante, car elle pense alors avoir la main haute sur la relation qui commence. Au début, il suscite une telle sécurité que la femme ne remarque pas les indices du problème. Plus tard, lorsque la femme est résolument engagée, le comportement de l'homme devient si contradictoire et inattendu qu'elle excuse ou rationalise les symptômes qui se dévoilent. Les scénarios sont parfois si déroutants qu'il est difficile de croire qu'un homme si aimant se soit mué en un être retors.

L'homme habité d'une telle phobie est un être perturbé et perturbant. Les femmes le décrivent généralement comme un individu à double personnalité. C'est d'ailleurs exact, car il doit lutter contre les démons qui le mènent. D'un côté, il éprouve un impérieux désir de s'engager et, de l'autre, lorsque cela arrive, il se trouve soudainement possédé par une réaction de fuite. Ce problème est le sien... du moins jusqu'à ce que vous vous engagiez à votre tour. Dès ce moment, il devient le vôtre.

Que son problème soit sérieux ou bénin, votre partenaire ne dissimule pas réellement le conflit qui le hante. Il peut tenter de le masquer, de le rationaliser, de l'expliquer, mais il ne peut pas vraiment le maîtriser. Les conflits qui le déchirent lui dictent des comportements types que vous allez découvrir.

Malheureusement, les femmes ont une façon de réagir prévisible. Lorsqu'elles se trouvent dans les filets de la phobie, elles sont déroutées.

J'ai longuement parlé avec ces femmes, qui étaient loin d'être primaires ou crédules. Elles étaient au contraire des personnes brillantes, perspicaces, sensibles et sensées. Et pourtant... elles ont été manipulées par des hommes incapables d'aimer. Lorsqu'on les regarde en témoin, ces hommes se révèlent d'une transparence aveuglante. Leurs intentions sont si claires et leur comportement si stéréotypé qu'ils se révèlent d'eux-mêmes. Et pourtant, lorsqu'un homme vous dit combien il vous aime, combien il a besoin de vous, combien il vous désire, vous ne demandez qu'à l'écouter et à *le croire* même si tout cela est contradictoire.

C'est ainsi que, malgré toutes vos réserves, votre scepticisme, vos doutes, vous vous laissez convaincre par cet homme et son amour factice. C'est exactement là que vos ennuis débutent. Rien ne sert de vous culpabiliser, car la source du problème réside en l'homme. Votre erreur est d'être d'une certaine manière programmée pour accueillir les avances d'un chevalier, ce héros qui va vous enlever sur sa monture et vous emmener vers quelque pays merveilleux sur fond de soleil couchant.

Que pouvez-vous faire alors ? Plusieurs choses. La première est de reconnaître une situation à risques dès qu'elle se présente.

Ces témoignages de femmes nous montrent des hommes qui, après avoir fait une cour assidue, ont paniqué comme des pleutres. Chacune s'est sentie rejetée et bouleversée par ce qui lui arrivait.

> « Lorsqu'il est avec moi, tout est merveilleux, puis il disparaît pendant des semaines. »

> « Il a terriblement changé dans les heures qui ont suivi nos fiançailles. Il a des sautes d'humeur, il est taciturne et belliqueux. Je pensais qu'il serait heureux... Je ne comprends pas ce qui a pu se passer. »

> « Lorsque nous sommes à la maison, il fait preuve d'une incroyable affection,

mais dès que nous sortons, il agit comme si j'étais une étrangère. Même dans la rue, il s'arrange pour marcher plus vite ou plus lentement que moi afin que nous n'ayons pas l'air d'être ensemble.»

«Il disait qu'il se sentait seul et se conduisait comme si notre relation était pour lui ce qu'il y avait de plus important au monde. Au début, j'avais son exclusivité mais il s'est mis à voir d'autres femmes. Je sais qu'il m'aime, mais ça me trouble.»

«Il me vit un jour sortir de l'immeuble où se trouve son bureau, eut apparemment le coup de foudre et se posta chaque jour à la même heure au même endroit pour le plaisir de me voir passer! C'était vraiment merveilleux pendant six mois. Comme c'était son anniversaire, j'appelai certains de ses amis pour lui faire une fête. Deux jours plus tard, sans explication, il me déclara qu'il ne pourrait plus jamais me voir.»

«Nous nous étions rencontrés au bureau et il fit tout ce qu'il put pour attirer mon attention. Nous sortîmes finalement ensemble et nous racontâmes nos vies. Lorsqu'il me confia qu'il souffrait énormément à cause de son divorce et de la perte de ses enfants, il se mit à pleurer. A 4 heures du matin, nous nous sommes retrouvés dans mon appartement. Je me sentais si proche de lui que j'aurais trouvé puéril de lui dire non, d'autant plus que je sentais que nous avions besoin l'un de l'autre. Je pensais que quelque chose germait entre nous et je voulais être honnête avec moi-même. Aujourd'hui, au bureau, non seulement fait-il à peine attention à moi, mais s'il doit m'adresser la parole, il prend un air contrarié. Je ne peux m'imaginer qu'il m'ait quittée parce que je lui ai cédé... »

« Cela a commencé la veille du mariage. Il s'est mis à critiquer ma toilette en me disant que celle-ci était inconvenante pour une mariée d'âge mûr. C'était tellement gratuit que j'en fus sérieusement secouée. Jusqu'alors, il avait été si gentil que je mis cela sur le compte de la fébrilité. Aujourd'hui, rien de ce que je dis ou fais ne lui convient, absolument rien, mais lorsque je lui parle de divorce, il se met à pleurer et promet de changer. »

Dès le moment où la relation devient sérieuse, le phobique se transforme littéralement.

La relation classique avec ce genre d'homme passe par quatre stades caractéristiques :

Le début. Tout nouveau, tout beau. Il ne pense qu'à vous et vous désire.

Le milieu. Il sait que vous lui êtes acquise et cela l'effraie.

La fin. Vous le désirez et il vous quitte à répétition.

Le dernier acte. C'est finalement terminé et vous ne savez pas pourquoi.

Le début

Ce stade est celui de la cour effrénée. De toute évidence, vous l'envoûtez et il met tout en œuvre pour vous capturer. La durée du début dépend du temps qu'il met pour réaliser qu'il est en train de s'engager.

Il manifeste à votre égard un intérêt très vif que vous ne partagez pas forcément.

Peu après, il vous déclare que vous êtes une femme hors série, n'affiche aucune réserve, vous accepte telle que vous êtes et intensifie progressivement sa cour.

Son passé sentimental est en dents de scie, mais il laisse supposer que tout va changer avec vous.

Il fait tout pour vous impressionner. S'il a de l'argent, il le flambe; s'il a du talent, il l'exhibe; s'il se dit « sensible » ou « profond », il monte un vrai spectacle pour le prouver.

Il prend un air vulnérable et agit comme si la relation était plus capitale pour lui que pour vous.

Il laisse entendre, par mots et par gestes, qu'il recherche une relation monogame et intense, non point une aventure superficielle et éphémère.

Il est prêt à annuler ses rendez-vous, à vous rejoindre à l'autre bout du monde pour avoir le plaisir d'être en votre compagnie.

Il vous téléphone à tout moment « juste pour dire bonjour » ou « pour le plaisir d'entendre votre voix ».

Il n'hésite pas à élaborer des projets d'avenir en utilisant le « nous » de circonstance.

Il agit comme si vous étiez le centre de son existence.

Il semble favorable aux revendications féministes, critique vertement les « machos » et les hommes qui maltraitent les femmes.

Il fait ce qu'il faut pour bâtir votre confiance et généralement il y parvient.

Il vous convainc de lui donner une preuve (de nature émotionnelle ou sexuelle) de votre engagement.

Le milieu

L'étape du milieu arrive lorsque les rapports de forces se modifient. Il vous a conquise et estime que vous attendez de lui une certaine forme d'engagement. Pour la première fois dans le cours de la relation, il se trouve face à face avec son propre problème. Il se sent saturé de sentiments contradictoires. Vous offrez ce qu'il désire mais, au lieu d'en être heureux, il souffre et croule sous le poids de ses sentiments ambigus. Dès qu'il se trouve en votre présence, il est envahi par les premières bouffées d'angoisse provoquées par sa phobie. S'il ne la comprend pas, il peut rationaliser ses craintes et chercher en vous « la petite bête ». Certains hommes sont en proie à une panique intense. En tel cas, ce stade tourne court et passe immédiatement à celui de la fin. Chez d'autres, le stade du milieu se prolonge indéfiniment et rend la relation malheureuse pendant des années. Il place ainsi ses jalons destructeurs :

L'homme fait marche arrière, comme si quelque chose lui faisait peur. Il n'appelle plus souvent, n'a plus autant d'attentions.

Ses intentions, ses paroles, ses actes jadis sans ambiguïté sont maintenant chargés de messages troubles.

Il s'arrange pour que certains aspects de sa vie — amis, famille, carrière — soient des zones cloisonnées dont il vous exclut sur des excuses des plus plausibles.

Il craint énormément les événements auxquels vos amis et les membres de votre famille participent. Il évite de passer du temps et de discuter sérieusement avec eux.

Il vous traite comme si votre importance s'était amoindrie et trouve toutes sortes d'excuses pour se justifier.

Ses habitudes sexuelles changent et il peut, de manière subtile, se transformer en agresseur.

Il établit un strict emploi du temps où il prévoit les moments et les circonstances où il va condescendre à vous voir. On dirait qu'il a toujours quelque chose de plus important à faire.

Il traite la plupart des services que vous lui demandez comme des exigences et semble ennuyé qu'il faille toujours que vous comptiez sur lui. Il signale qu'il déteste qu'on ait des attentes à son égard, même s'il ne définit pas de quelles attentes il parle.

Il écoute distraitement ce que vous dites et

accorde de moins en moins d'attention à vos besoins.

Il encense vos qualités de bonne épouse, dévouée, loyale, intelligente, bonne cuisinière, compréhensive. Ces qualités, d'un autre côté, l'insécurisent totalement.

Il se plaint des désagréments que votre liaison lui occasionne. Il ne peut jamais stationner près de chez vous. Il éprouve des difficultés à dormir dans votre lit. Vous habitez « trop loin ». Votre chat lui cause des allergies...

Il vous découvre maints défauts et cherche en vous des raisons pour que cela ne fonctionne plus entre vous. Il vous blesse en attaquant des aspects de votre personne que vous ne pouvez changer : "Je ne sais pas ce que mes parents diront si je fréquente une — faites votre choix — Irlandaise, Italienne, Noire, Blanche, juive, chrétienne, Anglo-Saxonne, petite, grande, divorcée, fille trop âgée, trop jeune, avec un ou des enfants, trop riche, trop pauvre", pas assez ou trop n'importe quoi... Il peut stocker ces prétendus défauts et vous les assener au moment précis où il veut vous quitter. Votre péché le plus énorme est en fait d'exister. Il connaissait vos particularités lorsqu'il a commencé à vous fréquenter et que vous étiez la femme de ses rêves.

Il sème peut-être les indices d'un intérêt ou d'une relation avec une autre femme ou une « ancienne ».

S'il fréquente vraiment une autre femme, il ment à ce sujet ou diminue l'importance de cette liaison en continuant à vous assurer que vous êtes la personne la plus importante dans sa vie.

Il est de toute évidence torturé par ce dilemme et, lorsque vous menacez de le quitter, il promet de s'amender et se met parfois à pleurer.

Malgré tout ce qu'il peut dire, rien ne change. Il ne permet même pas que la relation puisse croître ou progresser et refuse d'aborder le sujet.

La fin

La façon la plus imagée d'illustrer cette étape serait de dire que le phobique est en cavale. L'homme que vous avez connu n'existe plus. De Roméo, il s'est transformé en Houdini. Il s'est trop avancé et il le sait. Il est ravagé par des émotions contradictoires mais son impulsion la plus forte est de fuir. Si tout a commencé trop vite, ce stade se matérialise dans les heures qui suivent. Nombre d'hommes préfèrent toutefois laisser à la femme l'odieux de la rupture et effilochent la fin jusqu'à ce que vous décidiez de passer à la séparation.

Jusque-là, il dévoile ses intentions de bien des façons.

Son attitude à votre égard s'est transformée et il sème des indices très clairs sur sa sortie prochaine.

Il passe de moins en moins de temps avec vous et ne se donne même pas la peine de vous expliquer ses absences.

Il exige beaucoup de souplesse et d'espace dans l'aménagement de son emploi du temps.

Il oublie ses rendez-vous et modifie ses projets.

La plupart du temps, il est maussade mais attribue son état à quelque facteur étranger à la relation. Il peut pousser la magnanimité jusqu'à vous confier que ce n'est pas à cause de vous.

Ses paroles continuent à vous rendre perplexe, car ses messages sont confus. Il passe du rejet brutal et de la tentative de culpabilisation aux câlineries et à l'approbation totale de vos actes.

Il évite toute activité sexuelle et attribue ce retrait à un surcroît de travail ou à son état général. Il précise que si vous étiez vraiment compréhensive, il n'aurait pas à se justifier.

Il ne fait absolument rien pour améliorer votre relation et ne tient même pas à en parler.

Le dernier acte

A ce stade, il essaie d'aménager élégamment sa sortie, mais ne sait trop comment s'y prendre. Chaque fois que ce sera possible, il vous fera porter le blâme ou la responsabilité de la situation. Peut-être hésitera-t-il aussi parce que son départ imminent agit comme une soupape qui libère son angoisse et l'amène à éprouver peut-être quelque sentiment à votre égard. L'état de confusion où il se trouve et son inaptitude à l'expliquer engendrent chez lui un comportement irrationnel qui vous porte à le croire en dépression. Il met un terme à sa liaison selon l'une des trois modalités suivantes ou encore une combinaison de celles-ci :

Il *provoque* la rupture en faisant une grande scène de ménage ou en se conduisant de manière absolument ignoble.

Il *se retire* si totalement de votre vie (il peut parfois déménager) que la relation meurt d'elle-même.

Il cesse de vous appeler, ne répond plus à vos coups de fil et *s'évanouit* de votre vie de manière si malsaine qu'elle n'en est que plus destructrice.

Parfois, l'éloignement suffit à apaiser l'anxiété du phobique. La réaction est morte et il n'a plus rien à craindre. Dans cet environnement peu menaçant, les sentiments qu'il éprouve encore peut-être pour vous peuvent refaire surface à loisir. Loin d'une situation qu'il considérait comme un piège, voilà que vous lui manquez ! Alors il vous rappelle et, lorsque cela survient, le même vieux scénario est remis en scène. Une différence toutefois : tout se déroule beaucoup plus rapidement.

3

De quoi la peur d'aimer se nourrit-elle?

Le cas de Russ

Mesurant 1,85 m, Russ ressemble davantage à un athlète qu'à un bureaucrate. A 32 ans, armé d'une maîtrise en administration, il gagne 100 000 $ par année et serait encore plus à l'aise s'il demeurait plus longtemps chez ses employeurs. Il change de société au moins une fois par année, si bien qu'il se retrouve périodiquement en chômage.

Russ vient d'une famille très unie. Ses parents, ses deux sœurs aînées et son frère cadet sont tous mariés et heureux. Bien qu'il possède une résidence secondaire près d'une plage et un chalet de ski à la montagne, il continue à vivre avec ses parents. Il a beau dire qu'il vit sa vie, il trouve pratique (et économique) de continuer à demeurer dans la maison paternelle.

Ses liaisons amoureuses ont rarement duré plus de quelques mois. Il répète à qui veut l'entendre qu'en général les femmes se cramponnent à lui après cinq ou six rendez-vous, que ce n'est pas ce qu'il recherche, et il se retire de la scène. A son bureau, sa secrétaire a ordre de dire qu'il est absent.

Il a par contre goûté certaines relations éclairs vécues en l'espace d'une ou deux soirées sans qu'il n'y ait de lendemain. Il déteste toute planification rigoureuse, dans sa vie sociale comme dans sa vie privée. Il en va autrement au bureau, où il n'éprouve aucune difficulté à prévoir sur des semaines. Il opère une nette dichotomie entre sa vie privée et sa vie professionnelle. « Il m'est facile de prendre des décisions et presque impossible de m'engager », aime-t-il à redire.

Sa seule façon d'envisager le mariage est sous une certaine forme d'union temporaire. Quant aux enfants : « Ils ne créent pas de liens permanents puisque, après tout, on ne fait que les emprunter pour 14 ou 15 ans au plus... »

L'an dernier, Russ a vécu ce qui fut certainement la relation la plus importante de son existence avec Susan, une employée de son bureau. Cette liaison a duré un an et c'est Susan qui y a mis fin.

Le début de la fin survint dès l'instant où Russ se rendit compte qu'il s'engageait dans cette relation :

> « Je suis très entreprenant en tout. Ma relation avec Susan a démarré en flèche. Le premier soir, elle remarqua une robe dans une vitrine. Le lendemain, j'achetai la robe et la lui fis livrer. Trois ou quatre

semaines plus tard, nous vivions dans son appartement. »

Russ eut tout de même la franchise de dire qu'il ne considérait pas ce geste comme un engagement de sa part et justifia sa décision de plusieurs façons :

> « Vivre ensemble est un arrangement qui ne veut pas dire que l'on s'engage. En fait, cela signifie plutôt que l'on hésite, sans cela on se marie. Vivre avec elle me faisait gagner du temps. Si j'étais resté chez mes parents, je n'aurais pas pu la voir aussi souvent. J'ai clairement signifié que nous demeurions libres, chacun de son côté... »

Russ me confia que tout allait bien les premiers mois. Toutes ses connaissances répétaient qu'ils formaient un couple charmant. On tenait pour acquis qu'ils allaient se marier.

> « Elle faisait tout en son pouvoir pour me faire plaisir. Elle était présente, *constamment*... Il me suffisait d'énoncer un désir, elle était prête. Au début, j'aimais ; après, c'était suffocant. Oui, je suffoquais ! Si l'on cherche prétexte à trouver la petite bête, rien n'est plus facile. La situation se détériora du fait qu'elle cherchait à modifier une aventure en quelque relation plus sérieuse. A ce point-là, je commence à avoir des palpitations. Je me souviens d'un incident lorsque je visitai sa famille. Il nous fallut supporter un interminable souper auquel

je ne tenais absolument pas. Je me disais : "Grand Dieu, qu'est-ce que je fais ici ? Ça devient trop sérieux..." J'en faisais de l'arythmie cardiaque... Je voulais me sauver. »

Selon Russ, plusieurs facteurs contribuèrent à achever cette rupture :

« Je rencontrai une fille chez le fleuriste où j'achetais des fleurs pour Susan. Je ne pensais pas que Susan serait à la maison, alors je ramenai ma conquête à l'appartement. Susan rentra plus tôt et nous trouva... »

Comme je demandais à Russ pourquoi il n'avait pas emmené sa conquête à sa maison secondaire ou encore à l'hôtel, il me répondit qu'il ne connaissait pas cette personne et qu'elle ne valait pas la peine qu'il se donne tant de mal. Ce jeu risquait pourtant de mettre en danger la relation qu'il entretenait avec Susan. Cette dernière fut vivement ébranlée, mais Russ parvint à la convaincre qu'il ne s'agissait que d'une passade et que rien de tel ne se répéterait à l'avenir. Le couple survécut encore deux mois en se désagrégeant graduellement.

« J'avais vraiment peur de m'engager avec Susan. Plus notre relation traînait, plus je devenais violent. J'étais un vrai salopard. Je ne rentrais pas, lui faisais subir le stress que je récoltais au bureau, sortais avec d'autres femmes, lui coupais la parole ou demeurais muet. Elle était attirante, intelligente, possédait toutes les qualités dont un homme peut rêver, mais cela ne suffisait pas. Ce qui devait arriver arriva. A bout de souffle, Susan menaça de me quitter. Elle me déclara qu'elle connaissait un homme prêt à partager sa vie avec elle, à lui consacrer de l'attention... Je ne prise pas les menaces. Je me sentis coupable. Je crois qu'elle désirait me rendre jaloux. Mais je ne pouvais plus reculer. Si j'avais flanché, elle m'aurait tenu en laisse. Chaque fois que quelque chose n'aurait pas fonctionné, elle m'aurait menacé à nouveau. Le lendemain matin, ma décision était prise. Je fis ma valise et la quittai pendant qu'elle était sous la douche. Susan était une personne perspicace... Elle savait que j'avais peur de m'engager sérieusement, ne serait-ce *qu'une fois*, que je n'étais pas capable d'aimer qui que ce soit. Plus j'y pense et plus j'estime qu'elle avait raison... »

Si vous êtes sous l'emprise d'un phobique de l'engagement, il faut identifier ce qu'*il* peut bien ressentir pour être ainsi terrorisé. Que peut-*il* bien penser pour ainsi saboter la relation qui existe entre vous ? Il est important d'exclure que ce qui le fait fuir, c'est vous. C'est *sa* manière malsaine d'envisager l'existence, l'amour et les relations amoureuses.

Il est facile de dire que les hommes tels que Russ sont des infirmes de l'amour parce qu'ils ont peur de s'engager. Il est plus difficile de comprendre pourquoi. Une femme détecte souvent le moment où son compagnon fuit l'engagement, mais cela ne l'aide ni à comprendre pourquoi, ni à corriger le défaut, ni à se protéger du comportement destructeur qui suivra.

Jusqu'à ce jour, la plupart des tentatives entreprises pour comprendre l'anxiété provoquée par un engagement l'ont été dans une perspective féminine. Une foule de livres et leurs théories n'abordent le problème qu'à moitié.

Ils ont tendance à examiner le seul comportement des femmes tel qu'il se manifeste lorsqu'elles essaient de comprendre pourquoi leurs relations se détériorent. Malheureusement, elles-mêmes ont tendance à s'en rejeter le blâme lorsqu'elles essuient un échec. Elles ressassent : « J'ai été trop exigeante... », « J'ai laissé notre liaison progresser trop rapidement », « J'ai été stupide de lui faire confiance », « Je me demande à quel moment je n'ai pas su me montrer à la hauteur ».

Assez généralement, elles se disent que si elles peuvent sécuriser leur compagnon en l'incitant à vivre dans une relation monogame, ses appréhensions vis-à-vis de l'engagement finiront par disparaître. Afin de le faire se sentir à l'aise, elles se montrent plus affectueuses et plus amoureuses. Elles redoublent de petits soins pour prouver qu'elles ne le rejettent pas.

Hélas ! pour l'homme paralysé de peur, ces gestes bien intentionnés ont un effet diamétralement opposé à celui recherché. Le phobique les interprète comme de la manipulation pour le conquérir, comme une tentative de resserrer l'emprise. D'une manière ou d'une autre, vous ne réussirez qu'à le pousser plus sûrement vers la sortie.

Le fond du problème ne réside pas dans vos imperfections ou vos failles. Vous pouvez maigrir, changer d'amis et de profession, remodeler votre corps et votre esprit de mille façons, le problème demeure car il ne réside pas dans les traits de votre personnalité ou dans vos caractéristiques physiques. Votre compagnon ne réagit pas contre vous, mais contre l'acte de s'engager et, malgré tous vos efforts, ses craintes ne s'évanouiront pas. Redresser la situation commence par comprendre l'ampleur des craintes qu'il entretient.

Malheureusement, ces craintes ne disparaissent pas avec le temps ou l'affection. Cet homme n'a pas peur de l'amour mais de ce que l'amour représente ; il n'a pas peur de vous, mais de ce que vous représentez. Cet homme a peur d'un mot, le mot *toujours*.

La peur de l'engagement peut provoquer une variété de symptômes déplaisants dont le principal est l'angoisse. Si un homme est modérément phobique, les relations qu'il entretient avec vous n'engendrent qu'un vague malaise et sa légère réaction d'anxiété se dissipe s'il prend ses distances sur le plan émotionnel. Par contre, si la peur est intense, son angoisse s'aggrave et, à la seule idée de « s'aimer pour toujours », son cœur et son âme sont submergés par la terreur.

Ces dernières années, le non-engagement des hommes semble prendre des proportions endémiques. Une pléthore de livres et d'articles débattent des causes possibles de cette épidémie. Quelques auteurs notent que l'inaptitude à s'engager n'est qu'un retour de flamme contre l'idée de se retrouver piégé dans le rôle ingrat de père nourricier. D'autres estiment que cet état d'esprit est attribuable — du moins en partie — aux craintes qu'engendrent chez l'homme ces « femmes nouvelles », fortes, indépendantes, surtout lorsque le mâle est affligé d'un complexe d'infériorité ou se sent rejeté. Beaucoup donnent à l'incapacité de s'engager une cause d'immaturité, un refus de grandir et d'accepter des responsabilités. Plus récemment, on a suggéré la philosophie dite du *play-boy* selon laquelle on ne s'engage pas tant que l'on est en mesure de « changer » son partenaire pour un autre vous permettant d'aller au bout de vos fantasmes, un peu de la même manière dont on change sa voiture pour un modèle plus luxueux.

Il existe, bien sûr, des explications profondes : conflits œdipiens, conflits de dualité du type femme-madone, femme-putain, peur du rejet, égoïsme, narcissisme, piètre estime de soi, etc. Même si tous ces facteurs peuvent contribuer à aggraver ou donner corps au problème, *aucun* d'entre eux ne peut expliquer les ramifications nombreuses de cette peur de s'engager, des ramifications qui, nous le verrons, s'étendent bien plus loin que le domaine des relations interpersonnelles.

Qu'y a-t-il de si effrayant dans l'idée de

s'engager ? Par l'un de ces hasards dont le destin est prodigue, je découvris un premier indice alors que je travaillais sur un sujet entièrement différent. L'an dernier, le Dr Harold Levinson, un éminent psychiatre, me demanda de l'assister dans une recherche en vue d'un ouvrage sur la nature et l'origine des phobies.

Ce travail se révéla pour moi une mine d'informations.

Alors que j'interrogeais des patients dans le cadre de cette recherche, ces derniers demandaient si j'avais moi-même un livre en chantier. Cela nous amenait à parler de son sujet — la crainte de s'engager —, sur lequel ces personnes étaient particulièrement disertes. Ces entrevues m'ouvrirent des perspectives entièrement nouvelles. Je n'oublierai jamais la réaction de l'un des patients : « Des engagements ? s'exclama-t-il. Mais je n'ai aucun problème avec les engagements... C'est simple, je ne m'engage jamais ! » Puis il se lança dans une tirade sans fin au cours de laquelle il m'expliqua comment la crainte de l'engagement avait dominé et gâché son existence. Ces confidences plutôt anodines m'amenèrent à découvrir que cet homme, et d'autres ayant le même discours, suivait — quelle coïncidence ! — une thérapie pour claustrophobie aiguë.

J'eus l'occasion de m'entretenir avec de nombreux phobiques. J'appris énormément, bien que tous ne présentassent pas les symptômes concomitants de la peur de s'engager.

C'étaient les *claustrophobes* qui semblaient les plus perturbés par l'idée de s'engager, qui éprouvaient les plus grandes difficultés à établir et à maintenir des unions monogames et ce, malgré leur besoin d'affection et leur désir d'être aimés.

Les dictionnaires décrivent la *claustrophobie* comme étant la peur anormale de se trouver confiné dans un espace clos. Chez le claustrophobe, la crainte de se retrouver coincé ou piégé dans un espace restreint provoque l'angoisse, la peur et la panique. De nombreux phobiques m'ont confié que ce même type de crainte pouvait être provoqué par des représentations *symboliques* incluant, par exemple, une occupation, un mode de vie, des relations interpersonnelles.

De toute évidence, il existait là une filière intéressante. Plus j'interrogeais de patients et plus les pièces du casse-tête semblaient trouver leur place. Claustrophobie et peur de s'engager faisaient-elles partie d'un même couple ? La crainte de s'engager n'était-elle pas l'une des nombreuses ramifications de l'angoisse du claustrophobe ? Les problèmes d'engagement chez les hommes ne constituaient-ils qu'une extension psychologique « symbolique » de la peur de se trouver physiquement coincé et pris au piège ?

Cette idée semblait logique, car les engagements sous-entendent un concept de permanence. Honorer un engagement signifie que l'on se trouve lié par une décision, une chose, une personne, pour très longtemps... pour *toujours*... Que peut-il exister de plus contraignant, de plus générateur de phobies ?

Je me mis alors à penser aux nombreux hommes « normaux » que j'avais interrogés, à ceux qui ignoraient les affres de la phobie. Leurs craintes de s'engager n'étaient guère différentes de celles des phobiques, mais ils mentionnaient rarement quoi que ce soit qui pût donner à penser qu'ils étaient claustrophobes ou qu'ils se sentaient encagés dans leurs relations interpersonnelles. La plupart semblaient persuadés que leurs échecs sentimentaux avaient été provoqués par leurs compagnes. Tous ces hommes ne faisaient-ils que rationaliser le problème ? N'étaient-ils que des claustrophobes inavoués ? Les patients claustrophobes qui avaient demandé l'aide d'un thérapeute n'étaient-ils pas, au fond, des gens davantage en contact avec la réalité, davantage maîtres de leurs peurs ? Je suppose que, dans une certaine mesure, cela était exact ; ce que je soupçonnais constituait une pièce importante manquant au casse-tête.

Enflammé par ma découverte, mais tout de même un peu frustré par ses lacunes, je décidai de soumettre le problème à l'attention du Dr Levinson, qui est l'un des pionniers du traitement des phobiques. Il ne tarda pas à souligner l'importance des *tendances* claustrophobes chez la majorité des humains, tout comme chez plusieurs espèces animales d'ailleurs. Enfermez 20 personnes (ou 20 souris) dans une pièce minuscule et, avec le temps, presque tous les sujets deviendront nerveux, angoissés, agressifs, ou encore ils seront saisis de panique. De telles études ont d'ailleurs été faites sur des animaux en laboratoire. Dans des circonstances normales, la plupart des individus n'affichent pas de caractéristiques claustrophobes. Toutefois, si l'environnement est suffisamment confiné, ces tendances peuvent remonter en surface chez presque *n'importe qui*.

Considérons maintenant la nature même de l'engagement. Par définition, un engagement est un acte par lequel on se lie par une promesse ou une convention à quelqu'un ou à quelque chose. Ce peut être une promesse verbale ou non de fidélité en amour ou envers un employeur. Une fois l'engagement pris, on se trouve lié par obligation pour une durée prédéterminée.

On voit comment le fait de s'engager peut provoquer une angoisse claustrophobe. Dans le cas d'un engagement à long terme, un homme qui désire vraiment le respecter peut éprouver le sentiment d'être enfermé dans une petite pièce. Si l'engagement est conclu « pour toujours » — comme devrait théoriquement l'être tout mariage —, le conjoint peut avoir l'impression de se trouver enfermé dans un réduit ; même s'il ne se trouve pas entravé *physiquement*, il l'est sur le plan *psychologique*, et la sensation de confinement qu'il ressent est terriblement similaire à celle d'une incarcération.

En d'autres termes, le confinement psychologique peut se révéler tout aussi générateur de claustrophobie que le confinement physique. Tous deux représentent une perte de liberté avec, comme résultat, que tout engagement à long terme est considéré comme un piège et, comme tout autre piège, est générateur d'angoisse. Plus le piège est important, plus fortes sont les mâchoires de l'angoisse et plus vif est le désir de prendre la fuite.

Ce qui devient clair pour moi, c'est que les réactions claustrophobes des hommes vis-à-vis des restrictions engendrées par un engagement ne sont guère différentes des réactions phobiques d'autre nature. Lorsqu'on parle de phobie de l'engagement, il ne s'agit pas d'une expression à la mode en cette fin de siècle. *La phobie de l'engagement est une phobie véritable,* accompagnée de sa panoplie symptomatologique physique et psychologique.

Pour modifier le comportement destructeur qui accompagne la phobie de l'engagement, il faut comprendre quelles sont les composantes de cette dernière en partant des connaissances sur les phobies en général.

Lorsqu'une personne est confrontée à une menace ou à une situation dangereuse, son organisme réagit de manière non spécifique. Cette réaction réflexe, ce déclenchement du système d'alarme inconscient, automatique et autonome que nous possédons tous, se caractérisent par les symptômes suivants :

— des bouffées d'angoisse ;
— un sentiment de crainte ;
— de l'hyperventilation ou une respiration laborieuse ;
— la sensation de suffoquer ;
— de l'arythmie cardiaque ;
— des troubles d'estomac ;

— une transpiration excessive ;
— des sueurs et des frissons.

Dans bien des cas, cette réaction est prévisible et se justifie. Ainsi, il n'est pas surprenant d'afficher de tels symptômes lorsqu'on se fait agresser par une personne armée ou par un chien furieux ; mais ces mêmes symptômes peuvent se manifester en face de menaces plus subtiles qui, à des yeux non exercés, apparaissent comme anodines : un ascenseur, un pont, une araignée ou une relation interpersonnelle, par exemple. Lorsqu'une réaction aussi peu logique se produit et que la réponse de l'organisme semble grandement exagérée ou totalement irrationnelle, nous l'appelons réponse phobique.

Grâce aux travaux de recherche sur le stress, nous savons que cette alarme interne ne constitue pas une réaction que l'on peut trancher net, bien au contraire, car l'intensité des symptômes peut varier considérablement selon la sensibilité de l'individu et l'intensité de l'appréhension.

Une simple alarme peut se manifester, par exemple, par une respiration plus rapide, une transpiration plus abondante et une élévation de l'angoisse. Subjectivement, ce type de réaction n'est probablement guère plus grave que l'anxiété de la plupart des gens dans la vie quotidienne.

Par contre, une réaction plus chargée peut être caractérisée par une angoisse substantielle mais toujours contrôlable, une élévation du rythme cardiaque et respiratoire, des troubles d'estomac et une élévation très sensible de la tension artérielle. De tels symptômes vous mettent mal à l'aise dans votre environnement. Ils peuvent être la source de craintes modérées et provoquer un désir d'éviter ce qui les provoque, qu'il s'agisse d'un tunnel, d'un serpent ou d'une amoureuse.

Si le système interne réagit à une concentration d'alarmes, les symptômes risquent d'être impressionnants. Le sujet se sent envahi par une variété de symptômes amplifiés qui, collectivement, engendrent la peur, la désorganisation panique, ce qui le pousse à fuir tout ce qui est potentiellement capable de déclencher ces sensations extrêmes.

Etant donné que la réaction phobique est variée, les réactions des hommes à l'engagement varient elles aussi. Certains d'entre eux ont peur de *tous* les types d'engagement et agissent en conséquence avec chacun. D'autres sont capables d'engagements à court terme mais paniquent dès que les termes s'allongent ou demandent la permanence. Certains hommes peuvent prendre tous les types d'engagements, mais ne sont vraiment à l'aise envers aucun. Ils souffrent d'anxiété chronique. Dans une large mesure, la variété des réactions phobiques explique la variété de phobiques de l'engagement, ainsi que leurs particularités.

Pour la femme, la partie la plus pénible de l'expérience est de constater un changement radical dans le comportement de l'homme. Pour elle c'est *l'amour* et non la peur qui est en cause. Cette femme n'est pas seulement romantique ; elle est aussi réaliste. On lui a enseigné que l'amour peut déplacer les montagnes et elle pensait vivre un de ces miracles. Son compagnon ment-il malgré lui ou a-t-il dès le départ l'intention de la tromper ? Comment un homme si épris peut-il perdre tout intérêt aussi rapidement ? Qu'est-il arrivé ? En est-elle la cause ? Comment se peut-il que cet homme passionné, cet ami plein d'attentions délicates, se soit transformé en un être absent, rongé par ses états d'âme ?

C'est vrai, le phobique de l'engagement peut oublier soudainement la tendresse qu'il vous porte, son bien-être en votre compagnie, son plaisir de faire l'amour avec vous. Il souhaiterait peut-être se mettre à votre place, mais il est si mal dans son être, si plein de contradictions, que cela lui est impossible. Même s'il pouvait faire le point pour prendre vos sentiments en considération, s'il était rongé par la culpabilité, rien ne changerait. En fait, c'est l'effet contraire qui se produit : plus il se sent coupable, plus il se sent piégé et plus il veut s'en aller.

Si vous avez fréquenté cet homme, vous savez que son comportement paraît inexplicable, bizarre, incompréhensible, incohérent. Lorsque vous comprenez que la raison de sa fuite n'a rien à voir avec l'amour, avec le désir qu'il éprouve pour vous ou avec l'appréciation de votre compagnie, son comportement se démystifie. L'homme s'enfuit parce qu'il sait que la relation ne peut continuer sans qu'il y participe vraiment, et cette éventualité relève de l'impossible.

Lorsqu'on prend ce fait en considération,

on saisit pourquoi il éprouve tant de difficultés à entretenir une relation amoureuse normale. Il sait qu'il n'a jamais même essayé sérieusement ; il sait aussi qu'il est celui qui a amorcé l'aventure en jouant l'amoureux transi et en multipliant ses avances. Il a probablement dit plus d'une fois qu'il vous aimait. Il a probablement agi comme s'il désirait que tout continue. Mais quand l'heure est venue où il doit abattre ses cartes, il n'est pas assez confiant ou naïf pour croire que vous allez comprendre ses sentiments. Et même si vous compreniez, cela mènerait vers une décision qui justement l'effraie terriblement.

Si l'on postule que l'homme incapable d'aimer souffre d'une phobie de l'engagement, un homme atteint va afficher certains symptômes de la maladie lorsqu'il se trouve en face de l'élément déclencheur. De façon à enquêter sur cette hypothèse, je posai à tous les hommes interrogés les questions suivantes : « Vos relations interpersonnelles intimes ont-elles déclenché en vous des malaises physiques tels que des maux d'estomac, des palpitations ou une hyperventilation ? Quand ces malaises sont-ils survenus ? Avez-vous eu l'impression de vous sentir écrasé, englouti ou étouffé par une relation que vous jugiez envahissante ? Si oui, développez. Une relation un peu trop empreinte de tendresse a-t-elle provoqué en vous des sentiments de panique ? Etait-ce une période de stress ou tout allait-il bien ?

Non seulement les réponses confirmaient

mon hypothèse, mais encore illustraient combien la peur de l'engagement pouvait être ressentie de manière intense.

Joshua M. en témoigne :

« Maintenant je sais ce qu'un animal en cage peut ressentir. Perdue votre liberté, vous n'avez plus aucune raison de vivre... »

Andy B. s'explique :

« Lorsque je la rencontrais, j'étais comme pétrifié. Je filais dans la direction opposée. Je sentais le sang affluer à ma tête, et quelque chose qui disait : "Sors d'ici, Andy ! Sauve-toi ! Une chape de plomb est en train de t'étouffer... Du vent !" »

Gregory D. me dit :

« Dès qu'une femme témoigne d'une trop bonne opinion de moi, je me sens piégé par ses attentes, par l'idée de toujours me vouloir près d'elle. Alors je veux filer, m'éloigner, fuir cette personne et ses sentiments... »

Quant à Frank M. :

« Dès que je me sens pris au piège, je réagis violemment. Je me sens assiégé. Je deviens affolé et mes cheveux se dressent sur ma tête. »

Dick D. explique les raisons qui l'ont poussé à mettre un terme à sa dernière liaison :

« Nous étions dans une pièce bondée d'invités. J'étais assis sur une chaise et

> elle se trouvait agenouillée près de moi, les mains sur mes pieds. En la regardant, j'eus la sensation de porter des chaînes... »

Des experts ont observé combien les phobiques pouvaient être obsédés, écrasés, hantés par leurs craintes. Elles font tellement partie de leur vie qu'ils ressentent leur présence même dans le sommeil. Une personne victime de la peur des hauteurs rêve de chutes dans le vide. Un hydrophobe fait des cauchemars où il se noie. La phobie de l'engagement, loin d'être imaginaire, mène ceux qui en souffrent à faire d'abominables cauchemars, particulièrement lorsqu'ils abordent dans leur vie un engagement « pour toujours ».

Le cas de Tom

Mon ami Tom est un analyste en systèmes informatiques âgé de 33 ans. Voilà deux ans, deux de ses sœurs se marièrent à quelques mois d'intervalle, ce qui provoqua dans la famille bien des spéculations sur les possibilités que Tom, l'aîné des enfants, se décide enfin à convoler en justes noces. Vers la même époque, Tom décrocha un nouvel emploi. C'est ainsi qu'il rencontra Gloria, sa directrice, qu'il se mit en frais de séduire. Un beau défi en perspective. Laissons-le parler :

> « Quelques heures après avoir rencontré Gloria, j'éprouvai le coup de foudre. Ce n'était pas réciproque, mais j'insistai.

Même si elle demeurait de glace, je continuais à lui faire du charme. Je ne cessais d'imaginer comment j'allais lui envoyer des billets doux, de petites notes humoristiques, n'importe quoi pour attirer son attention et obtenir son approbation. Plus elle s'esquivait et plus je me mettais en frais. Elle me répétait que nous étions trop différents mais je l'assurai que ce n'était pas le cas. Cela prit du temps — quatre mois pour être précis — puis un soir, après un souper romantique, je parvins à la convaincre de venir à mon appartement. Je n'oublierai jamais comment je me sentis ce soir-là, après l'avoir reconduite. Cela n'était pas lié à ce que nous avions fait. Il s'agissait plutôt de quelque chose qu'elle avait dit qui me poussait à prendre la fuite. Elle avait déclaré : "Je n'arrive pas à croire que j'ai eu la veine de te rencontrer et combien tu as eu raison d'insister, car mes hésitations n'étaient pas fondées." Elle avait ajouté : "Je suis heureuse que tu aies prouvé que mes premières impressions à ton sujet étaient fausses..."

« C'est alors que je réalisai que tout ce que j'avais fait pour la séduire s'était révélé plus efficace que j'aurais pu l'imaginer. Tout avait trop bien fonctionné. D'un seul coup, c'est moi qui n'étais plus prêt et je fus pris de panique. Je me mis à penser : "Laisse tomber... ce ne sont pas les femmes qui manquent ici..."

« Je lui avais promis de la rappeler le lendemain, et chaque fois que je m'apprêtais à le faire, j'étais envahi d'angoisse. En réalité, j'avais peur de lui téléphoner, même si je ne pouvais dire pourquoi.

« Cette nuit-là j'avais fait un rêve, plus exactement un cauchemar. J'assistais à mon propre mariage. La pièce était illuminée mais sinistre, avec d'énormes portes d'acier. Le rêve avait à peine commencé que j'étais à l'autel, sur le point de jurer fidélité à ma promise. Lorsque mon tour vint de dire "oui", je fus saisi de frayeur. Je voulais me sauver mais ne le pouvais plus. Je ne pouvais que dire "oui".

« Dès que j'eus prononcé ce mot, je fus en état de malaise. "Ma vie est perdue maintenant..." Cette peur était si réelle et si profonde qu'elle me réveilla. Même éveillé, je ressentais la même terreur. J'étais plein de colère contre cette femme du rêve, responsable des sentiments horribles qui me torturaient.

« Le matin, mes craintes s'étaient amplifiées. Je commençais à en vouloir à Gloria de s'attendre que je lui téléphone.

« Lorsque je la rencontrai, le lendemain, j'étais nerveux et craintif. Je voulais éviter la colère qu'elle éprouvait parce que je ne l'avais pas appelée. Je craignais qu'elle me fasse une scène ; voilà pourquoi je la tenais à distance et me montrais froid. Comment pouvais-je lui expliquer ce que je ressentais et pouvais à peine comprendre ? Tout ce que je savais, c'était que je voulais ne plus être là. Je suis conscient que ce ne fut pas là mon heure de gloire... »

Lorsque les symptômes de la phobie de l'engagement font surface, ce qui engendrait hier un sentiment de satisfaction en l'homme génère aujourd'hui de la crainte, si bien qu'il se trouve écartelé. D'un côté, il éprouve de la tendresse envers sa compagne, et de l'autre il ressent la panique, la peur, l'angoisse, tous sentiments qui le poussent à prendre la fuite.

Tom aimait Gloria et elle l'attirait vraiment. Il la décrivait comme une jeune femme compétente, intelligente, admirable. Malgré cela, il l'admet volontiers, il la traitait fort mal. Quels pouvaient bien être les sentiments de Gloria ? Nous ne le savons pas, puisque Tom ne lui permit pas de les exprimer. Si elle ressemblait un peu aux autres femmes avec qui j'ai eu l'occasion de parler, elle ne pouvait certainement pas comprendre pourquoi un homme ayant passé des mois à lui faire une cour enflammée s'était contenté de faire l'amour une seule fois avec elle puis l'avait laissé tomber.

Tom me confia qu'il n'avait pas du tout pensé à elle. Il ne se demandait rien à son sujet. La seule et dure réalité est que cette relation ne pouvant que progresser, cela avait activé son système d'alarme. Sa seule préoccupation était d'éteindre son incendie imaginaire.

Dès qu'il s'agit d'cngagement, certains hommes sont des inquiets chroniques. D'autres, comme Tom, agissent normalement tant qu'ils poursuivent de leurs assiduités une femme hésitante, mais dès qu'elle répond favorablement, le poursuivant se transforme en poursuivi. Son mécanisme de protection le fait alors agir comme si sa vie était menacée.

En évitant la relation, en refusant l'amour que la femme lui porte, et éventuellement en prenant la fuite, le phobique de l'engagement soulage enfin son anxiété. La priorité de cet homme inquiet étant de sauver sa peau, il lui faut abandonner la relation et, bien sûr, la femme qu'il aime.

Les comportements découlant de l'angoisse oscillent entre une réaction de combat et une réaction de fuite. Cette réaction bipolaire en face du danger existe dans le monde animal. Elle a une fonction de survie. La nature l'a élaborée pour mobiliser nos systèmes de défense lorsqu'un danger menace notre vie. Ce mécanisme vital assure la préservation de l'espèce en nous préparant à affronter la source du danger ou à prendre la fuite pour nous protéger. Lorsqu'il se détraque, comme c'est le cas dans les comportements phobiques extrêmes, il se retourne contre nous-mêmes.

L'ambiguïté de ce mécanisme est ressentie par les compagnes d'un homme affecté par cet état. Dès qu'il estime qu'un engagement le menace, il se sent piégé, son organisme se mobilise et il n'a alors que deux choix: fuir l'engagement ou le combattre en vous harcelant. Certains hommes choisissent une position duelle, mais, peu importe leur choix, la relation s'en trouvera à plus ou moins long terme détruite.

Pourquoi certains hommes prennent-ils la fuite, alors que d'autres attaquent? Je crois que cela dépend de la sensibilité du système d'alarme de l'individu et de la façon dont il envisage l'importance du contrat qui le lie à sa compagne. Qu'il s'agisse de combat ou de fuite, ces comportements sont le résultat de la même réaction phobique sous-jacente.

Le plus surprenant, c'est que les phobiques prennent rarement la fuite lorsque la relation *ne fonctionne pas*. Ils n'abandonnent leur compagne que lorsque tout semble *aller pour le mieux* dans le meilleur des mondes, ce qui semble jeter un défi au bon sens. Une relation malsaine mérite qu'on la combatte ou qu'on s'en éloigne; dans le cas contraire, elle mérite qu'on la préserve, qu'on la chérisse, qu'on la cultive. Pour le problème, toutefois, le bon sens est dominé par la peur maladive de s'engager. Plus la relation devient forte, intime, plus il se sent enserré, interdit: il n'a aucune excuse pour s'en aller. Si la relation fluctue, il détient un bon prétexte pour prendre le large et ne se sent pas prisonnier. En d'autres termes, lorsque la relation est coulante, le signal d'alarme se trouve enclenché. Tant de femmes m'ont parlé d'un compagnon qui quitte ou cherche noise après un week-end de rêve ou des gestes d'amour et d'appui traduisant indiscutablement ses sentiments. Ce comportement apparemment inexplicable mène à la douloureuse conclusion : cet homme auquel la femme est en train de s'attacher est incapable d'aimer.

Dans le passé, on traitait l'homme qui persistait dans la liaison tout en menant la vie dure à sa compagne de misogyne. En comprenant la dynamique de la réaction phobique à l'engagement, on s'aperçoit que cette étiquette ne s'applique pas à tous les hommes qui se comportent ainsi. Nous n'avons pas affaire à un individu qui déteste les femmes, mais à un être victime de sa peur d'aimer.

Dans cette perspective, on saisit pourquoi tant d'hommes peuvent se montrer si câlins et si abusifs alternativement. S'il s'agissait vraiment de misogynie, ils se montreraient constamment hostiles. Au contraire, ils peuvent être extrêmement affectueux — parfois excessivement —, jusqu'au seuil de la tolérance. Alors seulement l'alarme se déclenche et la rage fait surface. Des démons intérieurs prennent les rênes, ces hommes sont submergés par la peur.

La phobie de l'engagement ne présente rien de vraiment neuf. Les risques de succomber à l'amour et de se faire prendre dans ses filets sont certainement aussi anciens que l'espèce humaine elle-même. Mais aujourd'hui, il existe une différence qui ne ressemble en rien à ce que l'on connaissait : la peur de s'engager sape les fondations mêmes de nos sociétés.

Fait intéressant et triste à la fois, on peut évoquer que ce changement soudain est attribuable à la révolution sexuelle, au mouvement de libération des femmes, aux idées progressistes et autres composantes qui apportèrent une « nouvelle égalité » entre les sexes. Ces changements qui ont rapproché les hommes des femmes les séparent encore de manière paradoxale.

Autrefois, il n'était guère bien vu qu'un jeune homme demeure trop longtemps célibataire et, à quelques exceptions près, le célibat n'avait rien d'enviable. Cet état attirait des spéculations sur les tendances homosexuelles, les déviations et les conflits œdipiens possibles du célibataire endurci. Même si un homme se souciait peu des qu'en-dira-t-on, il lui fallait leur faire face.

Par ailleurs, le fait de s'engager ne défrayait guère la chronique. Les rituels des fréquentations d'hier étaient moins menaçants sur les plans émotionnel et sexuel qu'ils ne le sont de nos jours. Soyons réalistes. Plus les pulsions physiques se faisaient sentir, plus l'intéressé se trouvait propulsé vers la seule route susceptible de les calmer : le mariage.

Même vers la fin des années cinquante, le mariage était le seul mode de vie jugé acceptable pour le jeune homme moyen. La féministe Barbara Ehrenreich remarque, dans son ouvrage *Hearts of Men* :

> « A la fin des années cinquante, l'âge moyen des jeunes mariés était de 23 ans. Si un homme attendait plus longtemps — disons jusqu'à 27 ans — on se posait des questions dans son entourage. Dès les années cinquante et soixante, les psychiatres avaient réussi à mettre au point

une théorie irréfutable selon laquelle le mariage et, à l'intérieur de ce cadre de référence, le rôle de père pourvoyeur et nourricier étaient le seul état normal de l'homme adulte. Hors de ce cadre existaient un certain nombre de diagnostics, tous aussi peu flatteurs les uns que les autres. »

L'homme « préhistorique » (d'avant les années soixante !) entrait malgré lui dans une relation monogame, respectait ses engagements et plaçait un éteignoir sur ses états d'âme. Avant qu'il ne comprenne que les murs s'étaient refermés sur lui, il était généralement trop tard pour reculer.

Le jeune marié hésitant n'est pas qu'une figure imagée comique. La majorité des jeunes mariés devaient être non seulement hésitants, mais carrément terrorisés car, une fois qu'ils avaient dit « oui », à moins de tout abandonner, de quitter la ville ou de s'engager dans la Légion étrangère, ils n'avaient guère d'échappatoire. La société avait décidé que l'homme doit se marier et c'est exactement ce qu'il appliquait.

Une fois marié, l'amoureux phobique était vraiment captif, car le divorce était difficilement accessible et peu acceptable sur le plan social. Si le besoin de fuir devenait pressant, il fallait qu'il s'esquive en s'accommodant des contraintes du mariage. Certains choisissaient l'alcool, d'autres le travail, d'autres encore l'aventure extramaritale. Beaucoup d'hommes, bien sûr, recouraient à tous ces palliatifs simultanément.

Même si bien des femmes vivent encore aujourd'hui ce genre de relations désertiques, celles-ci ont tendance à être gouvernées par une nouvelle dynamique. Grâce aux récents changements sociaux, y compris le féminisme, la révolution sexuelle et les idées progressistes, les hommes *n'ont plus* à convoler pour « obtenir » de l'amour ou calmer leurs pulsions sexuelles.

Nous appelons cela le progrès. S'il est merveilleux de vivre à une époque de grande liberté personnelle, cette liberté peut être désastreuse pour nos relations interpersonnelles. Pour utiliser une métaphore, disons que les hommes sont sortis de leur cage, mais, pour le phobique, peu importe que son environnement sentimental soit chaleureux; il n'en demeure pas moins une forme de prison. Comme tout animal qui voit une cage, son premier réflexe est de se sauver.

Les nombreuses ramifications de la phobie de l'engagement

Comme j'eus l'occasion de le découvrir au cours des entretiens, la phobie de l'engagement se restreint rarement aux relations interpersonnelles. Le phobique de l'engagement le fuit *sous toutes ses formes et manifestations*. Il craint toute chose ou toute situation dont la qualité est durable, permanente. Les problèmes qu'il éprouve avec les femmes ne représentent qu'une partie d'un dilemme beaucoup plus vaste.

Tom, l'un des premiers qui fit l'objet de mon enquête, me fit remarquer que sa peur de s'engager dépassait largement le domaine sentimental. Il était tellement à l'écoute de ses angoisses que ses commentaires me donnèrent de grands éclaircissements. Il me fit remarquer qu'il avait tendance à mener une vie de vagabond parce qu'il ne pouvait s'engager pleinement à garder le même emploi ou à demeurer à la même adresse. Il louait son récepteur de télévision car il n'avait jamais pu arrêter son choix sur une marque en particulier. D'ailleurs, tout achat de quelque importance lui était pénible, voire impossible.

Je me mis immédiatement à soupçonner que les réactions de Tom n'étaient pas uniques, et je commençai à élargir le champ de ma recherche afin d'y inclure tous les problèmes d'engagement, même ceux qui *semblaient* n'avoir rien à faire avec celui qui me préoccupait le plus, le cas des hommes incapables d'aimer. Mes nouvelles entrevues comprenaient les questions suivantes : « Avez-vous des difficultés à vous décider sur des achats importants ? Etes-vous propriétaire ou locataire ? Combien de temps comptez-vous vivre là où vous habitez actuellement ? Planifiez-vous de quitter ou de rester dans votre emploi actuel ? Avez-vous des animaux, une voiture ? Avez-vous des difficultés à tirer des plans à long terme ? Eprouvez-vous, en général, des difficultés à prendre des décisions ? Eprouvez-vous d'autres difficultés lorsqu'il s'agit de vous engager ? »

Les réponses à ces questions étaient à la fois

passionnantes et effrayantes. Pour la majorité des hommes interrogés, les relations interpersonnelles ne représentaient que la pointe de l'iceberg des engagements. La vie de ces personnes était imprégnée par la peur de se décider, de s'engager, de plonger. Chez certains, le seul mot *engagement* engendrait une angoisse considérable.

Certains admettaient volontiers qu'ils étaient obsédés, hantés par la seule idée de s'engager, parfois paralysés par elle. Il existait aussi des à-côtés auxquels je n'aurais jamais pensé. La plupart de ces sujets détestaient prendre des engagements de nature sociale. La plupart, par exemple, refusaient de s'engager à servir dans quelque rassemblement de citoyens. D'autres refusaient de voter, faute de se décider à adhérer à une idéologie politique, même marginale. Certains refusaient d'écrire des lettres, parce que l'idée de mettre à jamais leurs idées sur papier leur répugnait. Certains refusaient de se faire enregistrer sur magnétophone ou sur magnétoscope, de peur de laisser quelque trace permanente de leur intervention. Beaucoup d'entre eux détestaient écrire à l'encre. L'un de ces originaux n'écrivait qu'au crayon puis effaçait tout. Deux de ces phobiques hésitaient à mettre leur nom sur leur boîte aux lettres !

Le voile se levait. La phobie de l'engagement n'était pas seulement un problème que ces hommes vivaient avec les femmes : il s'agissait d'un mode de vie. En outre, ces hommes ne détestaient pas les femmes et ne les craignaient pas plus qu'ils ne détestaient leur famille ou leur carrière. Ce qu'ils détestaient et craignaient vraiment était toute forme d'engagement.

Un mode de vie

La majorité des hommes interrogés faisaient la preuve de leurs craintes et de leur inaccessibilité selon une ou plusieurs des modalités suivantes.

De curieuses habitudes téléphoniques

Des femmes me confièrent que leurs partenaires phobiques étaient difficilement joignables au téléphone et qu'ils étaient imprévisibles sur leurs rappels. Des hommes m'ont confirmé ce fait. Certains d'entre eux, s'ils avaient un répondeur, ne le branchaient pas. Les plus endurcis débranchaient leur téléphone ou s'abonnaient à un service de réponse qui faisait savoir à leurs amis qu'il ne fallait pas compter sur eux pour rappeler rapidement.

Ceux qui avaient des secrétaires ou des réceptionnistes leur donnaient ordre de mentir sur leurs allées et venues.

- Un vendeur de fourrures invite les femmes à l'appeler, leur fournit toutes indications utiles, mais ne se trouve jamais au numéro qu'il a donné.
- Un cadre supérieur ne donne à ses amis qu'un seul numéro : celui d'un bar voisin où les employés ont ordre de répondre : « Nous ne l'avons pas encore vu... »

- Tous les deux mois, un avocat change de numéro confidentiel.
- Un rédacteur publicitaire possède un répondeur qui répète : « Vous ne pouvez pas me joindre et cette machine ne prend pas de messages. »

Des planifications évasives

Chaque phobique de l'engagement sérieusement atteint à qui je parlai m'avoua qu'il préférait ne rien planifier, sauf si cela se révélait inévitable. La plupart d'entre eux se plaignaient de ce que les femmes manquent de souplesse parce qu'elles s'attendent qu'on leur fixe des rendez-vous et qu'on en respecte les termes !

Beaucoup d'hommes admettaient que leurs parents et amis ne pouvaient pas compter sur eux, mais qu'ils se montraient fiables lorsqu'il s'agissait de leur travail.

Mary, une infirmière, que j'interrogeai, m'avoua que si elle avait un peu plus prêté attention à la façon dont Gordon, son ex-fiancé, avait traité sa famille et ses amis, elle ne l'aurait jamais fréquenté et encore moins épousé :

> « En fait, Gordon aimait son père et sa mère mais il était abominable avec eux. Il n'allait jamais les voir parce qu'ils vivaient à trois heures de voiture de chez lui et qu'il se refusait à s'organiser d'avance. Ce sont eux qui venaient le voir tous les deux mois, mais il détestait avoir à être disponible lors de leur visite. Sa mère souffrait d'une telle attitude, mais il jugeait que sa peine n'était pas justifiée. Il

refusait de s'engager pour tout événement familial : fêtes, mariages, baptêmes, etc. A part cela, il avait de bons rapports avec ses parents, les appelait régulièrement, parlait volontiers d'eux en termes élogieux ou évoquait avec plaisir ses souvenirs d'enfance. Ses parents avaient dépassé la soixantaine et il ne réalisait pas que son attitude leur causait de la peine. »

Margo, une adjointe administrative, me raconte :

« Lorsque je rencontrai Matt pour la première fois (cet homme m'a brisée et coûté cher en thérapie), l'une des premières choses qu'il me confia était que sa mère lui en voulait. Il lui avait promis de l'emmener à un mariage où elle tenait à aller, mais il avait omis de se réveiller à temps. Il précisa que ce n'était pas la première fois qu'une histoire semblable lui arrivait et cela semblait l'affecter. A l'époque, je choisis de le ménager en lui répondant que sa mère était exigeante et d'un caractère ombrageux, et j'ajoutai qu'il ne devrait pas hésiter à lui tenir tête lorsque cela s'avérait nécessaire. Plus tard, je rencontrai certains de ses amis. L'un d'entre eux m'expliqua qu'on ne pouvait jamais compter sur Matt. J'oubliai cela en me disant que Matt devait avoir de bonnes raisons pour se montrer aussi peu fiable. Vers la fin de notre relation, lorsqu'il avait des trous de mémoire, oubliait de se réveiller et manquait d'honorer les engagements que nous avions pris ensemble, je me souvins de ces vieilles histoires. »

Des protestations infantiles

Tout le monde se voit un jour ou l'autre obligé de subir un événement de nature sociale dont il pourrait aisément se passer : cette fête à laquelle nous ne tenons pas à assister, cette pénible réunion de famille, ce concert qui ne nous intéresse pas. Il est normal de nous sentir mal à l'aise en de telles circonstances et non moins normal d'attendre poliment que ce soit terminé en sachant que nous avons un engagement à respecter vis-à-vis de telle personne ou de telle situation. Nous faisons contre fortune bon cœur. Le phobique de l'engagement ne réagit pas ainsi, il s'exprime avec véhémence. On ne le comprend que lorsqu'on a réalisé la profondeur de sa détresse. Elle est si grande qu'il ne peut accepter la situation et rend tout le monde — plus particulièrement sa compagne — responsable ou malheureux à cause de son humeur de catastrophe.

Un travail sans attaches

En milieu de travail, il refuse aussi de se sentir piégé. Pour qu'une carrière lui convienne, celle-ci doit répondre aux critères suivants :

Etre non structurée pour qu'il soit un travailleur indépendant qui fixe ses propres objectifs et définit ses propres priorités.

Etre temporaire : Un phobique de l'engagement peut s'accommoder d'un travail structuré et très encadré, seulement si cet emploi ne le définit pas et ne présente pas un caractère de permanence.

L'anxiété de certains phobiques provoque des instabilités énormes. Certains ne sont jamais capables de se fixer et se promènent d'un emploi à l'autre, d'une ville à l'autre.

Un habitat temporaire

■ Ainsi, ce phobique qui recule à l'idée d'avoir un domicile fixe préfère sous-louer ou ne signer que des baux temporaires, n'aime guère acheter des meubles. Tout de sa vie est provisoire ou improvisé.

■ Cet autre a peut-être signé un bail mais demeure épisodiquement dans son appartement. Il préfère dormir chez des amis, chez son ex-femme, chez des copines, etc.

■ Le logement de celui-là reflète intégralement son attitude anti-engagement. Chaque objet vous ordonne de laisser son propriétaire en paix. La chambre ne comporte qu'un lit à une place ou la salle de bains est si négligée qu'aucune femme ne se risquerait à l'utiliser.

■ Ce dernier a par contre un pied-à-terre confortable arrangé par son ex-femme ou son ex-maîtresse. Il le maintient dans le *statu quo* comme une sorte de sanctuaire.

Des choix traumatisants

Beaucoup de ces hommes vont à la chasse au magnétoscope comme s'ils allaient à la recherche de la femme idéale. Ils n'arrivent pas à acheter ou rapportent l'achat peu après.

Il leur est aussi difficile d'acheter une voiture que de se marier. « Dès qu'on se retrouve avec l'auto, on est coincé pour une éternité avec la même », m'a déclaré l'un de mes interlocuteurs.

Dans de nombreux cas, ces hommes étaient davantage conscients de leurs angoisses au moment d'un achat important que de celles concernant leurs relations interpersonnelles. On sait fort bien, quand il s'agit d'un magnétoscope, que nos choix se trouvent limités aux marques exposées. Il tient à nous de sélectionner la plus appropriée. En face des femmes, le choix est innombrable. Dans l'incapacité de s'engager, le phobique peut toujours recourir à la vieille excuse : « Je n'ai pas trouvé l'idéale... »

Cette phobie atteint-elle les femmes ?

Dès que l'on comprend les origines de la phobie de l'engagement, il semble logique que cet état morbide puisse s'appliquer aux deux sexes. Pourquoi, après tout, les femmes ne ressentiraient-elles pas les mêmes sentiments devant l'engagement et la permanence ? Pourquoi ne seraient-elles pas aussi inquiètes à l'idée de se faire piéger par un certain mode de vie ?

Oui, nombreuses sont-elles à avoir peur — et à être même terrifiées — à la pensée de s'engager. Malgré cela, généralement, leur grande sensibilité les paralyse moins que les hommes. D'autres craintes, d'autres besoins, d'autres instincts les incitent à aller de l'avant.

L'une des forces puissantes qui poussent la

femme à agir est l'envie, le besoin, d'être mère, une pulsion biologique peut-être, en vue de perpétuer l'espèce.

Les femmes ont à composer avec le rôle qu'il leur faut jouer dans l'amour, les relations interpersonnelles et les soins à leur progéniture. Lorsque leurs voix intérieures leur crient de tout laisser, la voix de la raison balaie les atermoiements en leur soufflant : « Si tu ne profites pas de cette occasion, tu n'en auras peut-être plus d'autre. » Avec les années, il leur devient difficile de trouver un compagnon acceptable.

La plupart des femmes ne se posent pas cette question. Si un homme a le moindre désir d'éviter ou de retarder un engagement, il peut toujours se justifier en se disant : « Après tout, 50 ans n'est pas une échéance ; je peux toujours trouver une jeune femme, me fixer et fonder une famille. » Cela lui donne une relative liberté, s'il le désire.

Un autre facteur, découlant du précédent, qui empêche les femmes de prendre la fuite, est la peur de la solitude. Dans une société encore dominée par les hommes, elles finissent par traverser leur peur de s'engager, pour des raisons de sécurité, de stabilité financière ou simplement pour éviter la solitude. Calculent-elles que, d'une manière ou d'une autre, elles finiront par s'ajuster à la situation ? Malheureusement, la plupart des hommes en pareille situation ne tirent pas les mêmes conclusions !

4

Un univers de contradictions

Le phobique de l'engagement fonctionne selon deux opposés. L'un veut entretenir de bonnes relations avec la femme, l'autre considère toute union permanente comme un piège où l'on suffoque. Entretenir des relations avec son ambiguïté, c'est entrer dans un monde où les doubles messages et les comportements contradictoires abondent. Il ne peut dire clairement ni oui ni non.

Il dit une chose et en fait une autre.
Il échafaude des plans pour les démolir aussitôt.
Il hésite, fluctue dans ses idées.
Il fait des promesses qu'il ne tient pas.
Chaque fois qu'il avance d'un pas, il recule de deux dans votre relation.

Dans la plupart des cas, l'homme parvient à vaincre la résistance et la prudence naturelle de la femme par l'enthousiasme qu'il déploie à lui faire sa cour. Même s'il laisse des indices sur ses tendances, bien des femmes ne prêtent pas attention à de tels détails. La vigilance les prémunirait pourtant davantage.

Le mythe qu'un phobique peut changer grâce à l'amour d'une femme et que vous êtes cette élue est une aberration.

Personne ne change qui ne le veut en priorité. Chaque femme en fait l'expérience. Elle rencontre un homme dont la peur d'aimer suinte par tous ses pores. Le passé du charmeur en témoigne mais il est si tentant de vouloir se leurrer. Lorsqu'il parle de ses difficultés avec les femmes, elle le prend en pitié et déduit que c'est « l'autre » qui est à blâmer. Bien sûr, avec elle les choses seront différentes. La vérité est que son passé en dents de scie va se perpétuer et qu'il ne tient qu'à lui seul de le transformer.

Il est parfois injuste de juger un homme sur son passé. C'est lorsque de mêmes notes discordantes commencent à se faire entendre, qu'il raconte une chose et en fait une autre, ne tient pas sa parole ou a des accès de froideur, que l'on peut faire des recoupements.

En général, une femme ne porte pas assez attention aux signes avant-coureurs. Elle écoute les messages qu'elle sélectionne. Ses amies peuvent la prévenir mais, au lieu de prêter son attention, elle l'use à protéger l'homme qui l'a séduite.

Il y a bien des moyens d'éviter les séquelles d'une relation malade. La première est de percevoir le problème. Dans l'aveuglement, la femme ne peut que se sentir paralysée et à la merci d'un miracle. Ce n'est pas une manière saine d'assumer la réalité. Le présent chapitre traite de quelques façons courantes pour un phobique de l'engagement de se leurrer et de leurrer les femmes qu'il rencontre. Sa lecture vous offre quelques lumières pour vous y reconnaître.

Même si les motivations sous-jacentes de ces hommes sont analogues, chaque individu est unique. Son histoire personnelle, ses croyances, son caractère et le degré de son angoisse le façonnent plus que ses comportements, mais le drame de la phobie subsiste. Pour vous comme pour lui.

Pas plus d'engagement au oui qu'au non

Lorsqu'il amorce une relation amoureuse, il est tout aussi incapable d'aller de l'avant de manière positive qu'il ne peut se résoudre à en finir. Pas de choix possible, il est piégé, prisonnier, et toute décision lui cause de l'angoisse.

Par conséquent, il choisit de ne pas choisir et il balance dans l'hésitation. Cette attitude est déroutante.

Cheryl, 28 ans, l'exprime :

> « Je ne comprends pas Alan. Nous sommes censés nous fréquenter, mais il ne me voit presque jamais. Il téléphone chaque jour et me propose de sortir au

moins deux fois par semaine, mais il ne vient pas aux rendez-vous qu'*il* fixe. Une heure avant, il appelle avec quelque excuse farfelue, sans manquer de dire combien il désire me voir, raccroche et répète ce numéro la semaine suivante. C'est incroyable... De temps à autre, il se rend chez moi mais il est invariablement en retard. Il a toujours quelque chose qui cloche. Il ne peut pas rester parce qu'il a mal aux reins, parce que sa mère ou sa fille a besoin de lui, parce qu'il doit conduire sa voiture au garage, etc. Lorsque je lui demande pourquoi nos rendez-vous tournent mal, il se fâche ou promet que cela ne se reproduira plus. De vraies promesses d'ivrogne... Je ne lui donne plus de rendez-vous en ville, car il m'a posé tant de lapins que je ne peux plus le prendre au sérieux. Au début, cela me troublait. Il me manquait et je tenais à le voir. Aujourd'hui, je ne le prends plus au sérieux. Quand même, je n'y comprends rien. S'il tient tant à me voir, pourquoi n'agit-il pas autrement ? S'il ne tient pas plus que cela à moi, pourquoi ne me laisse-t-il pas tranquille ? »

Alan constitue l'exemple du phobique hésitant pris entre ses pulsions conflictuelles. Lorsqu'il est séparé de Cheryl, il veut être avec elle et peut même avoir l'impression de l'aimer mais, dès qu'il l'approche, il se sent prisonnier. Ce sentiment déclenche un réflexe de fuite, si bien qu'il s'éloigne et ne se montre pas au moment prévu. Délivré de son sentiment d'emprisonnement, il est à nouveau libre de faire faux bond à son amie et le processus infernal se répète.

Le va-et-vient séduction-rejet

Il est l'amoureux le plus tendre au monde ; personne ne prend mieux soin de vous ou ne vous comprend si bien... du moins jusqu'à ce qu'il vous rejette ! Sa spécialité, c'est le couple séduction-rejet, qui constitue la manifestation du syndrome assiduité-panique. Voilà une bien maigre consolation pour la femme qui fait les frais de ce rejet.

Jan est une comédienne de 28 ans qui s'est retrouvée en thérapie lorsque son aventure avec Martin, un médecin, a brusquement pris fin :

> « Lorsque Martin et moi nous sommes rencontrés, il me suivait partout, comme si sa survie en dépendait. Il ne se lassait pas de me voir. Puis, après quatre mois environ, il est devenu moins disponible. Au début, je ne détestais pas cela et pensais tout simplement que notre relation prenait racines et allures de normalité. Soudainement, il se désintéressa physiquement de moi. Je tins pour acquis qu'il était surmené. Deux semaines auparavant, son comportement ne pouvait laisser prévoir une telle mise à l'écart. Il commença à se trouver des excuses pour dormir seul, sous prétexte qu'il devait opérer de bonne heure le matin. Après

> deux semaines, je me sentis sérieusement rejetée, car je me doutais que sa fatigue n'était qu'un alibi. Un mois plus tard, il commença à me chercher querelle. Je fus longue à réagir, mais je ne pouvais m'imaginer que le changement qui s'était opéré en lui puisse être si radical. De plus, je n'avais pas l'intention de me montrer revendicatrice. Enfin, j'exigeai une explication. Il me donna raison, me disant que ce n'était pas juste pour moi tout en s'arrangeant pour renverser la situation. Il agissait visiblement à contrecœur, comme si rien ne s'était passé entre nous. Je me mis à pleurer. Il demanda de cesser nos rencontres sous prétexte que cela m'énervait trop. Enervée, *je l'étais*. Je l'appelais et le rappelais, car je ne pouvais pas encore croire à ce qui arrivait. Il me déclara un jour d'un air cruel et détaché qu'il ne voulait plus me parler jusqu'à ce que je sois maîtresse de mes émotions.
>
> « La façon dont il m'a furieusement courtisée pour me laisser choir ensuite était injuste. Fort heureusement, dans mon métier on valorise l'aspect physique, ce qui est positif pour le moral. Il y avait de quoi devenir malade... »

La réaction initiale d'incrédulité au rejet de Martin qu'a eue Jan est courante. Il lui semble impossible que son compagnon si chaleureux et si compréhensif quelques jours plus tôt se conduise ainsi avec *elle*.

Oui, c'est possible !

La rationalisation

Personne n'aime admettre ne pas savoir réussir ses relations interpersonnelles. Le phobique de l'engagement ne fait pas exception. Lorsqu'il blesse les femmes (ce qu'il fait souvent), il ne l'admet pas. Même s'il agit inconsidérément, il refuse de le reconnaître. Il est effrayé, désemparé, mais ne cherche pas à se ressaisir par une prise de conscience.

Le phobique de l'engagement traite « ses » femmes de la même manière. Il répète donc les mêmes erreurs et les mêmes justifications. Déniant le fait qu'il détruit constamment ses chances d'être aimé, il trouve une explication qui le sécurise, une rationalisation qui confère un semblant de logique à sa sortie de scène.

Nulle femme n'est parfaite. Le phobique n'a donc pas besoin de chercher bien loin l'élément apparemment rationnel qui donnera crédibilité à sa fuite. Il veut croire que l'angoisse qu'il ressent se limite à la fréquentation d'une femme en particulier. Il se dit : « Si ce n'est pas moi (car je suis un petit saint), c'est donc elle (la grande démone)... » Tout ce qu'il a à faire, c'est d'observer pour trouver quelque faille qui lui donnera bonne conscience. Il y a toujours moyen de trouver quelque travers à quelqu'un. La manière dont elle tient sa fourchette, dont elle prononce un mot, un commencement de rides, voilà sur quoi il rationalisera son besoin de s'enfuir.

Cet homme ne trouve jamais la femme idéale. Il y a toujours quelque chose qui ne convient pas. Le plus surprenant, c'est que ce « quelque chose » est presque toujours manifeste dès le départ chez la compagne, sans que cela ne l'empêche pourtant de lui faire une cour acharnée.

L'exemple serait ce *play-boy* qui poursuit une ballerine avec insistance, puis l'abandonne sous prétexte qu'elle est mauvaise femme d'affaires ! Observé de loin, un tel comportement peut porter à sourire mais, vu de près dans l'expérience, il vous fera hurler à l'injustice.

Gregory est suffisamment honnête pour admettre :

> « Lorsque cela arrive, que je veux décrocher et n'ai pas le courage d'être franc, je m'en prends à la fille. Au début, je pare ma partenaire de toutes les qualités et le moindre de sa personne a la perfection du Taj Mahal. Je me connais. Plus tard, je vais brûler ce que j'ai adoré. Je sais que j'agis ainsi parce que je veux m'assurer que la relation se finisse. Je pratique cela trop souvent, avec trop de gentilles filles… »

L'excuse toute prête : vous n'êtes pas la femme idéale

Il existe un type de phobique de l'engagement qui camoufle son état morbide en choisissant toujours des femmes qui ne lui conviennent pas ou qui ne partagent absolument pas ses goûts.

Il choisira une compagne beaucoup plus âgée ou beaucoup plus jeune que lui, dont la religion, les opinions, la philosophie de l'existence sont carrément aux antipodes des siennes. De tels choix fournissent au démissionnaire toutes les raisons et excuses dont il a besoin pour prendre le large.

Adam, un courtier dynamique, est le type même du « beau parti » dont rêvent les jeunes filles de bonne famille. Tout le monde lui présente des femmes charmantes, adorables, intelligentes, qui ne demanderaient pas mieux que de l'aimer. Mais cela ne l'intéresse pas. Il prétend que ces femmes sont ennuyeuses. Les femmes intéressantes seraient entre autres une Espagnole de 18 ans dont l'austère famille ne veut rien entendre de lui, une femme mariée très riche, un bébé gâté qu'il reconnaît être l'égoïsme personnifié et d'une intelligence fort discutable. Adam soutient pourtant qu'il n'aurait pas hésité un instant à les épouser...

Il a rencontré une personne qui lui aurait fort bien convenu. Il s'agissait d'une jeune avocate du même âge que lui, ayant des goûts similaires et des amis communs. Adam avoua qu'il pensait l'aimer à l'époque, mais estimait qu'il ne pouvait l'épouser parce qu'elle était trop dépensière — un défaut qu'il admet avoir. Son alibi était de ne pas vouloir d'une épouse pouvant le concurrencer dans ses défauts.

Nul conflit n'est plus évident que celui qui afflige un phobique de l'engagement claironnant à tous vents qu'il souffre de solitude, mais qui est incapable du moindre geste pour engendrer une relation valable. Souvent, cet homme est si poltron que le seul fait d'inviter une jolie femme à dîner est l'équivalent d'annoncer ses fiançailles à la volée. Dans sa tête, un deuxième rendez-vous est synonyme de la fixation des formalités d'un mariage. Peu importe depuis combien de temps il connaît la personne, s'il se sent fortement attiré par elle, il pense immédiatement aux noces. Terrifié à cette seule idée, il met un terme à la relation. Un homme de ce type peut fort bien savoir qu'il est incapable de s'engager et se montrer d'une sincérité exemplaire en refusant d'induire son amie en erreur en laissant la relation progresser.

Arthur est un bel homme de 34 ans, chirurgien plastique de profession. Il possède de nombreux amis, hommes et femmes, mais n'a pas eu de relations suivies avec une femme depuis cinq ans. Il est très conscient des problèmes qu'il éprouve vis-à-vis de tout engagement.

> « Je me suis toujours dérobé avec toutes les femmes que j'ai rencontrées, sauf avec une. D'ailleurs, elle vivait avec un autre homme et je ne l'intéressais pas. Lorsque je rencontre une nouvelle femme qui m'attire, je suis un peu comme ces chargés de comptes dans les agences de publicité ; la première chose qu'ils ont à vendre, c'est leur personnalité. Mais dès que j'ai conclu ma vente, ce qui fonctionne généralement dès le premier soir, c'est terminé. Lorsque je regarde une

femme, au lieu de penser à l'emmener au cinéma, je me demande quels seront mes sentiments à son égard dans une dizaine d'années. Je me dis des choses dans le genre : "C'est bien beau maintenant, mais je vais me lasser et je finirai bien par ne plus vouloir vivre avec elle. Il nous faudra alors divorcer. Et qu'adviendra-t-il des enfants ?" Je sais, cela paraît fou, mais c'est ainsi que je raisonne. Un de mes amis me dit que je passe ma vie à éviter les femmes qui seraient pour moi d'excellentes compagnes.

« Lorsque je rencontre une de ces mariées en puissance, je lui parle d'emblée de la possibilité que j'ai de changer de ville. Autrement dit, je devance les coups et cherche déjà une excuse pour être libre de m'en aller à loisir, comme si j'étais appelé d'urgence ailleurs. Je peux ainsi interrompre la conversation et disparaître dans les secondes qui suivent.

« Je suis conscient du fait que cela ne m'apporte rien. J'ai 34 ans, je ne suis pas sorti plus d'une fois avec une femme au cours de la dernière année et je refuse de coucher avec quelqu'un après un premier rendez-vous. Je vous laisse imaginer le genre de vie que je mène… Je ne suis pas heureux, mais l'alternative qui s'offre à moi me cause tant d'angoisse qu'elle ne vaut guère mieux. Idéalement, je souhaiterais entretenir des liens de type résidences secondaires : une relation estivale et une relation hivernale. L'une m'apporterait ce que l'autre ne m'apporte pas. Je parle... mais je sais que je ne pourrais pas fréquenter plus d'une femme à la fois.

« Lorsque je pense au mariage, je m'inquiète en quelque sorte de mettre ainsi fin à mon existence. Je ne veux pas modifier mon style de vie qui, je dois l'admettre, se limite souvent à rentrer à la maison, à regarder seul la télévision et à réchauffer un vieux morceau de pizza. Rien de bien folichon, c'est vrai, mais j'ai l'impression que me marier serait comme être enfermé pour l'éternité dans une chambre sans air.

« Récemment, j'ai rencontré une femme que j'aimais bien. Nous avons passé ensemble une soirée merveilleuse, mais je n'ai jamais donné suite. Cinq mois plus tard, alors que j'étais en voyage, un objet me fit penser à elle. Je l'achetai et le lui envoyai avec un petit mot. Elle doit probablement se dire : “Ce type est complètement cinglé. Il pense à me faire plaisir, mais il ne m'invite jamais pour sortir. Pourquoi ? »

L'amour à distance

Etant donné qu'un phobique de l'engagement désire à la fois entretenir une relation et disposer de beaucoup d'espace, quoi de plus pratique pour lui que de dénicher des femmes qui vivent au diable vauvert ? La distance soulage son anxiété, du moins temporairement. La femme qui se laisse prendre par ce type d'homme comprend mal pourquoi un homme qui l'adorait dans les Caraïbes ne veut plus la voir de retour chez lui. Plus il la sait dans les parages, plus il en ressent de malaise.

Le phobique qui entretient des relations à distance est l'homme le plus séduisant et le plus romantique qui soit. Un confortable espace vital le séparant de celle qu'il convoite, il n'a pas besoin de créer artificiellement de distances émotionnelles. Si dans son esprit la relation se trouve par définition limitée, il peut se laisser aller à des sentiments d'amour et de tendresse. Voyant cette femme sporadiquement, il se sent moins menacé et pense qu'il aura toujours une bonne excuse pour mettre un terme. Ce n'est pas toujours vrai, mais c'est du moins ce qu'il croit plus ou moins consciemment.

Si vous êtes éprise d'un tel amoureux, vous découvrirez que votre idylle tend à dépérir aussitôt que vous vous rapprochez ou tentez de le voir plus fréquemment.

Tom m'a confié que lorsque celle qu'il courtise vit loin de lui, il en fait un peu trop pour elle :

> « On dirait que je préfère être séparé de la femme que j'aime. Cela a commencé lorsque je passais mes vacances dans des camps de jeunesse. C'était toujours trois ou quatre jours avant la fin des vacances que je décidais quelle fille je préférais. Alors je mettais le paquet pour la souffler

aux autres et, le dernier jour, nous étions des amoureux attitrés. Je rentrais à la maison, pensais à elle, lui écrivais des lettres et l'appelais lorsque mes parents me laissaient le faire. Cela durait un ou deux mois, puis je l'oubliais. Elle m'envoyait des lettres auxquelles je ne répondais pas. Je ne me posais plus de questions. Ce n'est guère différent aujourd'hui.

« Je me souviens d'une femme à Los Angeles que j'avais rencontrée dans un congrès. Lorsque je revins à New York, je lui écrivis et l'invitai à partir avec moi en vacances aux Caraïbes. Elle accepta et ce fut formidable. Nous restions sur la plage jusqu'à 3 heures du matin à refaire le monde et à faire l'amour. Lorsque je revins chez moi, je l'appelai souvent et lui demandai de venir me voir. Elle me rendit visite à New York tous les deux mois pendant plus d'un an. Je voyais d'autres femmes à cette époque, mais aucune d'entre elles n'était aussi importante pour moi que mon amie. Je me rendis compte qu'elle commençait à se demander vers quelle direction notre relation s'orientait. C'est ce qui me fit prendre conscience du fait que je n'avais pas l'intention de passer le reste de mes jours avec elle. Même si elle m'avait attiré au commencement, elle n'était pas du tout mon genre et, en approfondissant la question, je savais que mon intérêt pour elle faiblissait. Je n'étais jamais allé la voir à Los Angeles. Le week-end de l'Action de Grâces, je rendis visite à un vieux copain d'université à San Francisco. Cela la rendit furieuse. Elle me fit remarquer qu'elle n'avait pas hésité à faire pour moi le trajet Los Angeles-New York une demi-douzaine de fois. Non seulement je refusais de passer ces fêtes avec elle, mais j'avais le culot de venir voir un copain dans une ville voisine. Je me fis agonir de sottises au téléphone et ne la rappelai pas. Environ deux mois plus tard, je reçus un mot de sa part. Nous nous donnâmes quelques coups de fil et ce fut tout. »

Il existe une variante de l'amoureux à distance : le type de phobique « Club Med Fred ». Sa spécialité : les amours de vacances *sans suite aucune*. Il ne se compromet jamais, à moins de se trouver en voyage et loin de son habitat familier. Ayant de bonnes raisons de croire qu'il ne reverra jamais la femme qu'il courtise, c'est une vraie dynamo. Ne vous laissez pas leurrer, il ne se promène pas toujours en chemise hawaiienne. On le retrouve vêtu de tweed dans les colloques universitaires et de flanelle grise dans les réunions d'affaires. Ses seuls critères : vous et lui n'êtes que des chalands qui passez dans la nuit, et dans son esprit le verbe *passer* dit bien ce qu'il veut dire.

Houdini ou la grande évasion

Qu'y a-t-il de plus déroutant qu'un homme qui dit à une femme qu'il désire construire sa vie avec elle, puis qui disparaît comme l'alcool sur la peau d'un fiévreux ?

Le légendaire Harry Houdini, surnommé le Roi de l'évasion, était un magicien que nuls liens ne parvenaient à immobiliser. Les Houdini sentimentaux sont de même. Ils invitent les femmes à les retenir puis, pour ne pas s'engager, déchirent sans pudeur les tendres attaches qui les lient, un peu de la même manière dont l'artiste de cirque se débarrasse des chaînes et des cordes qui l'entravent.

Si vous avez la malchance de le rencontrer, il vous poursuivra avec une amoureuse persévérance jusqu'à ce que votre cœur flanche, puis il disparaîtra. Au début, rien de lui ne laisse deviner son comportement fuyant. Il vous supplie presque de l'attacher. Tandis que vous le voyez se défaire de tous liens et s'évader de votre vie, il réapparaîtra peut-être mais la situation aura complètement changé.

En bon cabotin, cet homme raffole des rappels. C'est pourquoi mieux vaut pour vous quitter le théâtre après le spectacle. Ce n'est pas en traînant aux alentours que vous comprendrez le pourquoi de son numéro.

Marie, une orthophoniste de 36 ans, a rencontré le Houdini typique :

> « J'ai honte d'avoir été si naïve et si stupide. J'ai rencontré Glen sur une autoroute, alors que je revenais d'une visite à ma fille. Il me dépassa dans une grosse Lincoln Continental et me dévisagea. Puis, il se mit à ralentir et je le dépassai. Plus loin, je m'arrêtai et il s'arrêta derrière moi. Il me sourit et je fis de même. L'homme était séduisant et élégant. Tout

cela n'était peut-être que superficiel, mais sur quoi se fonder pour juger un étranger rencontré sur une autoroute ?

« Il s'approcha et nous discutâmes un bon moment dans le parc de stationnement. Il commença à me parler de lui et se montra plus disert que moi. Il me raconta qu'il était divorcé et qu'il occupait un poste apparemment élevé dans quelque grosse société sise au New Jersey. Il s'agissait pour lui d'un nouvel emploi. Il vivait avec un copain de New York pendant qu'il se cherchait un appartement, car son ex-femme avait conservé sa maison. Il me donna sa carte et me demanda de l'appeler. Je m'en gardai bien. Une semaine plus tard, il m'appela au travail. Je lui avais donné mon nom et mentionné où je travaillais, si bien qu'il s'était débrouillé pour me retrouver. Cela n'avait pas dû être facile, car mon employeur est un grand hôpital.

« Bref, il m'enleva presque. Pendant les deux semaines suivantes, il me conduisait chez moi à Long Island, puis revenait le soir à New York, car je ne voulais rien précipiter. Il m'affirma qu'il était tombé follement amoureux, qu'il voulait prendre soin de moi et de ma fille, tout faire pour me rendre heureuse. Deux semaines plus tard, je lui cédai et il me parla de mariage. Je dois préciser que j'ai eu de très gros problèmes financiers. Ma fille se trouve dans une école spéciale et cela me coûtc cher. Glen me fit remarquer — et je n'ai aucune raison de le contredire — qu'il était très à l'aise. Je dois avouer que l'idée d'un homme prêt à m'aider n'avait rien pour me déplaire. Aussi, lorsqu'il se mit à agir comme s'il voulait m'épouser, je le crus. Ce conte de fées étourdissant se poursuivit pendant deux autres semaines. Je commençai à raconter à tout le monde que j'allais me marier, puis il emménagea chez moi.

« Dès qu'il fut sur place, son attitude commença à changer. D'un seul coup, il ne pouvait plus supporter les 45 minutes de voiture qu'il devait faire à l'aller comme au retour pour se rendre chez moi. Une semaine auparavant, il faisait ce trajet tous les soirs et ne s'en plaignait pas. Dès qu'il s'installa à la maison, ce propos devint bientôt l'unique objet de conversation tous les soirs. Puis il se mit à me critiquer d'une manière qui m'était totalement inconnue. Un jour où je m'étais trompée de route et égarée pendant quelques minutes, il fit une incroyable colère et m'injuria. Une autre fois, alors que je choisissais une robe dans mon placard, il me déclara d'un air dégoûté : "Si tu n'étais pas si obèse, tu aurais moins de problèmes pour t'habiller..."

« Il fit d'autres colères sous prétexte que je lui avais cédé trop tôt et ce sujet alimenta la conversation pendant quelque temps. Cette phase malsaine dura quelques semaines. Noël approchait. Nous étions censés nous rendre chez ses parents pour y passer les fêtes. Je ne les connaissais pas, pas plus que ses amis, d'ailleurs.

« Deux ou trois jours avant Noël, je rentrai à la maison et découvris qu'il avait emporté tous ses effets personnels. Sur le réfrigérateur il y avait un mot : "Quelque chose est arrivé. Je t'appellerai et t'expliquerai. Pour le moment, j'en ai plein les bras..." C'était tout. Il était parti. Je pensais d'abord qu'il m'appellerait dans les plus brefs délais, mais il n'en fit rien. J'étais inquiète car il conduisait comme un fou. Je me disais qu'étant donné les ennuis qui semblaient l'accabler, il avait dû avoir un accident. Je réalisais que si quelque chose lui arrivait, personne ne prendrait la peine de m'appeler. Oui, quelque chose avait dû se produire car, autrement, pourquoi m'aurait-il laissée sans nouvelles ?

« Je cherchai quelque moyen de le rejoindre. Finalement, sur un vieux relevé de la compagnie de téléphone, je remarquai un numéro qu'il avait appelé dans le nord de l'Etat de New York. Je fis ce numéro et parvins à joindre un de ses amis. Je lui expliquai ma détresse et, de toute évidence, l'ami en question réussit à joindre Glen qui m'appela en soirée. Une fois de plus, il était furieux parce que, selon lui, je le harcelais à la manière d'un limier. Il m'expliqua que son ex-femme essayait de lui jouer de mauvais tours en tentant d'avoir une mainmise sur quelque propriété. Il semblait ne pas pouvoir régler tous ses problèmes en même temps. "Non, je n'en suis pas capable", ajouta-t-il.

« C'était pourtant lui qui avait poussé à fond cette relation, qui m'avait incitée à annoncer mon mariage prochain à mes parents et à mes amis. Il m'avait fait appeler deux hommes avec qui je sortais auparavant pour leur dire que je ne désirais plus les voir parce que j'allais me marier. Il m'est difficile de croire que j'ai fait tout cela, mais je pense que j'étais flattée que quelqu'un m'offre de m'aider à assumer mes responsabilités.

« A tout hasard, je lui écrivis une longue lettre assez conciliante où je lui pardonnais presque. Je voulais seulement une explication.

« Environ un mois plus tard, il m'appela un soir. Il s'excusa et m'expliqua qu'il ne pouvait plus supporter notre relation dont, selon lui, "les étapes s'étaient déroulées trop vite". Il me demanda de lui pardonner et de le revoir. Je refusai, car cette liaison m'avait laissée très malheureuse et j'en gardais un arrière-goût de cendres. Je sais, j'aurais dû me montrer plus sceptique au départ, mais les femmes aiment croire aux miracles. Je croyais les bobards qu'il me racontait et je me voyais déjà en train de vivre l'une de ces belles histoires qu'on ne voit qu'au cinéma. »

Toutes les aventures à la Houdini ne se terminent pas de façon aussi dramatique que celle vécue par Marie, mais elles manquent toujours de subtilité. Le phobique semble s'engager à fond puis, soudainement, pris de panique, tout ce qu'il veut, c'est fuir sans discuter, sans essayer de corriger la situation. Il sait pertinemment qu'il lui est impossible de justifier sa conduite, mais il s'en moque.

Il disparaît parce qu'il craint que s'il confie ce qu'il ressent, sa compagne ne tardera pas à proposer des solutions. Il n'en veut pas. Son seul désir est de fuir et il se sent si mal qu'il ne peut ni ne veut entreprendre quoi que ce soit qui puisse retarder le processus de rupture.

Les hommes que j'ai interrogés comparent cette expérience à celle qui consiste à s'enivrer pour ensuite se réveiller avec la gueule de bois. Ils se lancent sans trop réfléchir dans quelque nouvelle expérience amoureuse puis, un jour, toujours sans réfléchir, se réveillent la bouche amère.

Après coup, ces hommes se sentent généralement coupables, honteux, et veulent oublier l'amertume. Les femmes, elles, se retrouvent démolies et veulent qu'on leur dise pourquoi.

Variation sur le thème Houdini : celui-ci disparaît et réapparaît régulièrement sur une période de temps plus ou moins longue ; cela dure parfois des années.

Monica rencontra Jerry dans une soirée au

printemps. Lorsque fin juin arriva, ils parlaient de vivre et même de faire carrière ensemble. Comme ils étaient tous deux agents de voyages, il fit miroiter la perspective de lancer une affaire où ils seraient associés. Elle alla jusqu'à chercher un local pour y établir leurs bureaux. Après avoir passé ensemble le week-end de la fête nationale américaine (le 4 juillet) en compagnie de la fille de Monica, âgée de huit ans, à la maison de sa compagne, dans les Berkshires, Jerry rentra chez lui et ne rappela plus jamais. Monica essaya plusieurs fois de le joindre mais, pour ne pas se ridiculiser, arrêta après plusieurs messages laissés sans réponse. Jerry réapparut cinq mois plus tard, à la fête de l'Action de Grâces. Son excuse était vaseuse : il l'avait quittée en juillet parce que ses sentiments à son égard étaient si intenses qu'il ne savait plus vraiment comment s'en sortir. Même s'il jura de ne plus jamais faire de fugue semblable, il récidiva à Noël, ce qui gâcha les vacances de Monica et de sa fille. Jerry réapparut en mai. L'aventure entrait dans sa deuxième année. Monica savait qu'il ne fallait pas qu'elle se laisse prendre à ce petit jeu mais les moments qu'ils passèrent ensemble se déroulèrent de manière si idéale qu'elle continuait à croire que Jerry avait changé et qu'il ne referait plus son numéro.

Homme girouette

Comment un homme peut-il proposer le mariage si cette proposition n'est pas sincère ? J'ai entendu tant d'histoires qui font penser que cette anomalie s'amplifie. Dans certains cas, quelques jours à peine après la demande en mariage suffisent au phobique à faire la girouette. Dans d'autres cas, il attend que les invitations de mariage soient expédiées.

Dan, qui demanda la main de sa compagne pour ensuite s'esquiver, reste encore incertain sur ce qui est arrivé. Comme beaucoup de phobiques lassés de leur comportement déplorable, l'idée de finalement s'engager lui paraissait assez séduisante. Il souhaitait mûrir suffisamment pour entretenir une relation durable. Malheureusement, sa phobie prit une fois de plus le dessus :

> « Lorsque je rencontrai Sara, je n'avais pas entretenu de relation sérieuse depuis des années. J'étais sorti avec une myriade de femmes et tout le monde me faisait remarquer combien j'exagérais. J'étais saturé de rendez-vous à la chaîne. Je rencontrai Sara dans un gymnase et je me sentis irrésistiblement attiré par elle. Je l'appelai le lendemain et lui demandai à brûle-pourpoint si elle avait envie d'aller au cinéma et de manger du maïs soufflé pendant le film, comme un vieux couple. Elle devait m'attirer car, après cette soirée, je la vis tous les soirs.
>
> « Après environ six semaines de ce régime, au beau milieu de la nuit, en pleine crise de romantisme, sans même penser plus loin, je la demandai en mariage et elle accepta. Le lendemain matin, en me réveillant, je me sentis vraiment

vaseux. J'avais un point au creux de l'estomac. C'était comme si quelqu'un me disait : "Tu as commis une erreur *terrible*, oui, *terrible*..." Je me sentais comme on se sent lorsqu'on a peur. Je pensais que j'allais être malade. Tout ce temps, elle se déplaçait dans l'appartement en chantant comme un oiseau et je ne pouvais pas bouger. J'allais travailler, mais j'étais tourmenté et me tenais coi. Je ne me souviens plus de ce détail, mais des amis me racontèrent que je disais à qui voulait l'entendre que je venais de me fiancer. Peut-être voulais-je simplement prouver que, moi aussi, j'en étais capable. Ma demande en mariage ne tenait vraiment pas debout. Je connaissais mon amie depuis trop peu de temps.

« Je n'avais jusqu'alors rien trouvé de négatif chez elle et j'aurais peut-être mis mon projet à exécution si je n'avais accroché sur deux ou trois détails que je décidai de trouver suspects. Je lui reprochais d'avoir accepté trop rapidement ma proposition. Cela ne cadrait pas avec ce que je pensais d'une femme exemplaire. La seule excuse qu'elle pouvait mettre avant, c'est qu'elle était amoureuse de moi. Tout ce que je savais, c'est que je n'avais pas l'intention de me marier. Mais plus elle sentait que j'hésitais, plus elle insistait pour hâter les préparatifs. Elle commença à annoncer la nouvelle à ses parents et à ses sœurs, et je me disais : "Comment peut-elle avoir l'audace de faire cela et de leur donner ainsi le droit de régir mon existence?" Le week-end suivant, pour la première fois depuis notre rencontre, je voulais être seul et m'occuper de mes affaires. Je voulais sortir avec mes amis, jouer au tennis, me détendre.

« Nous avons commencé à nous disputer, avons annulé nos fiançailles puis mis un terme à la relation dans les mois qui suivirent. Je la rencontre quelquefois dans le voisinage et j'ai parfois la tentation de tout recommencer, mais je m'en garde bien.

« Sara m'attirait. Nous avons passé de bons moments ensemble et je n'ai pas paniqué tant que je ne lui ai pas demandé de m'épouser. Pour moi, tout est facile tant qu'on ne me demande pas de m'engager. Puis, je cherche le petit défaut, je me demande si je serai capable de vivre avec cette personne le restant de mes jours. Lorsqu'on raisonne ainsi, on commence à craindre de se faire prendre au piège. On se dit: "Vais-je passer le reste de mes jours à me faire exaspérer par cette personne?"

« Si je pouvais donner un conseil aux femmes, je les aviserais de prendre garde à l'homme qui en fait trop au début car, aussi prompt puisse-t-il être à déclarer sa flamme, aussi pressé peut-il se montrer de battre en retraite... »

Leur langage corporel

Lorsque de tels hommes veulent mettre un terme à une relation, ils sont rarement capables de faire preuve de franchise. Ils continuent à raconter qu'ils aiment, mais le conflit qui les ronge commence à se manifester sous la forme d'un comportement singulier. En tel cas, leur langage corporel est éloquent.

Des habitudes de sommeil

Les femmes et les hommes que j'ai interrogés m'ont fait certains commentaires sur les comportements nocturnes affichés par les phobiques qui, selon eux, trahissaient les conflits qui les minaient. Maureen se souvient de la manière dont Bob, son ex-ami, lui dévoilait sa véritable personnalité pendant son sommeil :

> « Bob et moi avons entretenu des relations plutôt épisodiques. Je pouvais prédire le moment où il s'apprêtait à me fausser compagnie, à la manière dont se passait la nuit. Je ne parle pas de son comportement sexuel, mais de son sommeil. Normalement, il commençait à dormir recroquevillé contre moi et, au réveil, nous déjeunions ensemble. Lorsqu'il se préparait à prendre le large, il se plaignait d'insomnie, s'endormait à l'autre bout du lit, se réveillait de plus en plus tôt. Je me souviens d'une des dernières échappées. Il s'était levé à 3 heures du matin. Il faisait

encore noir et Bob s'était douché et habillé comme pour aller travailler. Je pensais qu'il était somnambule. De toute évidence, il avait hâte d'aller ailleurs. »

Voici certaines habitudes de sommeil qui peuvent traduire l'angoisse causée par l'idée de s'engager. Quelques-unes portent à sourire, mais elles ont été vérifiées par un grand nombre d'hommes et de femmes :

1. Se lève-t-il pour aller dormir sur un autre lit ou sur un canapé ?
2. Eprouve-t-il des difficultés à dormir dans votre lit ?
3. Vous pousse-t-il hors du lit pendant qu'il dort ?
4. Se blottit-il contre vous plusieurs fois par nuit pour vous repousser ensuite, alternativement ?
5. S'en va-t-il au beau milieu de la nuit ?
6. Ne vous laisse-t-il jamais dormir de son côté du lit ?
7. Ne dort-il presque jamais de votre côté du lit ?
8. N'a-t-il jamais le temps de prendre son petit déjeuner ?
9. Votre lit est-il le seul endroit au monde où il prétend ne pas être capable de trouver le sommeil ?
10. Son lit est-il trop petit pour que deux personnes puissent y dormir confortablement ?

Des habitudes de distance

> « J'aurais dû me douter qu'il ne me conduirait jamais à l'autel... Il n'était même pas capable de marcher près de moi dans la rue ! »

Un nombre incalculable de femmes ont exprimé des remarques semblables. Marcher constitue un acte naturel que des milliers de gens accomplissent chaque jour. Il semble que pour le phobique, marcher aux côtés d'une femme que par ailleurs il convoite est un exercice véritablement douloureux.

Il peut traduire son besoin de prendre ses distances de mille façons : la manière dont il s'assoit près de vous, dont il se tient lorsque vous êtes là, dont il entre dans une pièce lorsqu'il se trouve en votre compagnie. S'il se sent piégé et voudrait fuir, cela se voit :

- Marche-t-il toujours de manière que vous ne puissiez le rattraper ?
- Change-t-il de cadence lorsqu'il pense que vous êtes finalement adaptée à la sienne ?
- Zigzague-t-il en s'éloignant de vous ?
- Semble-t-il gêné lorsqu'il doit s'asseoir près de vous au cinéma, au théâtre, etc. ?
- Vous abandonne-t-il dans une soirée pour aller s'installer de l'autre côté de la pièce ?
- Se sent-il mal à l'aise lorsque vous pratiquez ensemble des activités physiques comme le tennis, la bicyclette, la danse, le ski ?
- Se sent-il mal à l'aise lorsqu'il vous

donne un coup de main dans la maison ? Par exemple, pouvez-vous faire la cuisine, le nettoyage, la lessive ensemble ?

Une logistique sexuelle

Les hommes savent très bien que même en cette époque de postrévolution sexuelle les femmes ne prennent jamais la sexualité à la légère. Ils savent aussi que des relations sexuelles avec une femme célibataire relativement jeune ne peuvent se poursuivre éternellement sans qu'elle n'anticipe rien d'autre que de passer un bon moment au lit. Elle s'attend que l'homme prenne un jour quelque engagement. Par conséquent, chez plus d'un phobique, peu importe combien il est porté sur la chose, une relation sexuelle suivie ne peut que provoquer une frayeur aiguë.

Dans sa logique sophistiquée, son objectif est de s'assurer que la femme ne s'attende jamais à aucun engagement autre que celui qu'il donne sur le moment. Pour y parvenir, il recourt à plusieurs stratagèmes qui maintiennent une certaine insécurité et de la perplexité chez sa compagne.

L'un des jeux les plus ineptes auxquels le phobique se livre a pour scène une parfaite nuit d'amour. Il la passe à cajoler et à s'attacher sa partenaire et se comporte comme s'il était un homme à l'esprit ouvert, un être tendre, sensible, attentionné, pétri de nobles valeurs et d'émotions honnêtes. Cela porte la femme à s'imaginer que cette nuit n'est que la première d'une très longue série. Lui-même dit y croire sur le moment. Quand même, il ne la rappelle plus jamais.

« Je peux tomber amoureux une fois par mois. L'autre nuit en est un bon exemple. Je me trouvais avec une femme que l'on m'avait présentée. Nous sommes allés au restaurant, puis je l'ai amenée danser. J'ai vraiment joué au romantique. Elle était ravissante et charmante à la fois. Nous sommes rentrés chez elle et avons flirté sur le tapis du salon pendant des heures. Ce fut extra et j'en garde un doux souvenir. Elle ne voulut pas que je passe la nuit chez elle, car sa petite fille était là et nous ne nous connaissions pas suffisamment. Comme je m'en allais et que je lui demandais si je pouvais la rappeler, elle me répondit en souriant que j'avais intérêt à le faire.

« Je décidai sur-le-champ de ne plus sortir avec elle. Trop de choses clochaient. Je n'avais aucune intention de l'épouser et, je le sentais très bien, ce n'était pas pareil pour elle. Je me retire toujours ainsi, car je trouve trop de défauts chez les personnes. Il est important, semble-t-il, de reconnaître les réactions de son cœur. Je dois dire que je ne connais pas du tout les miennes. J'étudie plutôt celles de chaque femme et m'arrête devant toutes les choses négatives que je découvrirai encore chez elle, et aussi à tout ce que mes parents et amis pourront trouver de semblable, pour la démolir. Parfois, je pense que je ne me marierai jamais. Je disais cela l'autre jour à un ami et il m'a dit qu'il ne me croyait pas, mais que j'étais un homme vraiment exigeant sur le plan sentimental. J'ai pris cela pour un compliment, alors je lui ai payé le restaurant et je ne sais combien de verres pour le récompenser de m'avoir dit exactement ce que je voulais entendre. Je vais vous dire la vérité : je pourrais passer sept nuits avec sept femmes différentes et, pendant que je suis avec chacune d'elles, me persuader qu'elle n'a absolument pas son pareil. Cela ne m'empêche pas toutefois de n'en inviter aucune à nouveau. D'une manière ou d'une autre, je trouve toujours quelque défaut qui les discrédite à mes yeux. Je les appelle toutes de temps à autre. Je leur raconte que je suis trop occupé, puis récidive quelques semaines plus tard. »

Une variation sur la technique « Ce soir, tu es à moi… ». La nuit d'amour passée, le phobique rappelle quelques jours, voire quelques semaines plus tard pour demander à sa partenaire de sortir. Lorsqu'il la rencontre, il s'arrange pour ne pas faire l'amour avec elle, car il a quelque raison valable pour rentrer chez lui le plus tôt possible.

Il a commencé cette liaison comme un amant normal, mais finit par jouer au jeu du bon copain, émaillé d'allusions érotiques et accompagné d'un comportement sexuel qui ne tient pas ses promesses. La logique de ce jeu comporte une différence. En règle générale, l'homme a une double vie, une autre femme avec laquelle il vit probablement la même relation anormale.

Paul, un enseignant dans la quarantaine, se raconte :

> « Lorsque au fond de moi j'ai su que je n'allais pas épouser Linda, ma vie sexuelle s'est mise à changer du tout au tout. Ce n'est pas que je me sentais moins attiré par cette fille, mais je me culpabilisais et ce sentiment m'empêchait d'être aussi libre avec elle que je l'étais auparavant. Je savais que si je voulais décrocher de cette relation en la blessant le moins possible, il fallait que j'espace tout contact de nature sexuelle. Ce n'est pas que je cessais de partager sa couche, mais j'y passais moins de temps et lui laissais prendre l'initiative pour bien souligner que tout venait d'elle. De cette manière, j'apaisais ma conscience. Parfois, c'était étrange. Nous nous trouvions dans des circonstances incroyablement romantiques et je m'éloignais d'elle encore davantage parce que j'avais peur de passer une trop belle soirée, ce qui eût justifié un retour à la case départ et lui aurait donné une raison de penser que nous allions nous marier. »

Des larmes faciles

D'après les témoignages que j'ai recueillis, ces hommes versent plus de larmes que le commun masculin en général.

Cela survient lorsqu'ils racontent quelque histoire triste à propos de leur existence ou qu'ils dévoilent leurs émotions. Lorsque la femme commence à se lasser des hauts et des bas de la relation et qu'elle tente d'y mettre un terme, le phobique pleure une deuxième fois. Il risque même de se jeter à ses genoux en promettant de changer. C'est alors qu'il ouvre les vannes des grandes eaux.

On peut le comprendre. Lorsqu'il avance dans la relation, il se sent engagé malgré lui envers sa compagne. Il se trouve en conflit avec lui-même ; ses angoisses le rendent hypersensible et la panique lui fait perdre le contrôle de ses émotions. Il est vrai aussi qu'il ne voudrait pas perdre son amie, même si elle exacerbe involontairement son angoisse maladive.

Paul se souvient du jour où il a pleuré :

> « Linda en avait assez. Nous étions ensemble depuis environ deux ans et je n'avais pas plus envie de l'épouser qu'au premier jour. Je flirtais même avec une de ses amies et cela l'énervait grandement. Elle ne voulait plus me parler et refusait même de répondre au téléphone. Je me rendis chez elle et me tins à sa porte en la suppliant d'ouvrir. Lorsqu'elle ouvrit enfin, je pleurai tout mon saoul. Je ne savais

même pas pourquoi. C'était presque comme si je m'attendais à me faire taper sur la tête et toutes mes perspectives prenaient une dimension nouvelle. Je m'imaginais peut-être qu'un beau matin je me réveillerais enfin adulte et que mes besoins, mon attitude devant la vie changeraient de façon draconienne. Si un tel miracle devait arriver, je ne tenais pas à perdre Linda, mais en même temps je savais que si un tel bouleversement de ma personnalité manquait de se produire, il me serait impossible de rester avec elle, ne serait-ce que quelques jours. Dans le fond, c'était du pur égoïsme. Je voulais la savoir disponible, juste au cas où... »

Un agenda secret

Certains phobiques utilisent un agenda secret pour y consigner leur double vie soigneusement dissimulée.

Le cas de Teri

Teri est une blonde énergique, athlétique, à la personnalité débordante et au charme indéniable. Tous ses amis l'adorent parce qu'elle est d'un caractère enjoué et pas compliqué. On ne peut toutefois nier que ces qualités aient pu contribuer à engendrer certains des problèmes qu'elle a éprouvés avec les hommes. Récemment, Teri se trouva embarquée dans une relation vouée au départ à l'échec. Maintenant, elle le sait, parce que lorsque ce lien prit fin, elle fut en mesure de rassembler les faits et de découvrir ce qui était vraiment arrivé. Cependant, à l'époque, elle ne comprenait pas. Comment l'aurait-elle pu d'ailleurs ? L'homme qu'elle avait comme ami ne lui avait jamais fourni les renseignements dont elle aurait eu besoin pour prendre soin d'elle. C'est du moins ainsi que la situation semblait se présenter à l'époque.

Teri est le type même de l'Américaine moyenne. Sa famille vit en Ohio, où son père était un juge respecté et sa mère professeur de français. On lui a appris à dire la vérité et à s'attendre que les autres agissent de la même façon. Lorsque Jack, un psychologue de 45 ans, lui fut présenté, elle n'éprouva pas le besoin de le tester et elle tint pour acquis que ce qu'il lui disait était vrai. Comment aurait-elle pu, étant donné sa culture, agir autrement ?

Si cela peut être de quelque consolation, disons que Jack n'était pas moins honnête avec elle qu'il ne l'était avec lui-même. Ce phobique de l'engagement avait toujours conservé quelque agenda secret. Cela signifie qu'il a toujours entretenu quelque liaison qui l'empêche d'établir des liens durables avec une femme. Seul Jack possède constamment tous les atouts dans sa manche et, en toute justice, on peut dire qu'il n'a aucunement l'intention de tromper qui que ce soit.

J'ai interrogé Teri dans la salle de séjour de la vieille maison victorienne qu'elle partage avec une copine dans la banlieue de Boston. Teri, qui enseigne en maternelle, fut assez aimable pour m'inviter à déjeuner, car elle a aussi le sens de l'hospitalité. Pendant le repas, elle me raconta son histoire. En la lisant, demandez-vous ce qu'elle aurait bien pu faire pour découvrir la réalité au début de son aventure.

> « Jack me fut présenté par un ami commun qui nous avait tous deux invités à déjeuner. Ce fut très agréable mais, tandis que le temps passait, je ne manifestais pas d'intérêt particulier pour cet homme. Par contre, je semblais l'avoir envoûté. Lorsqu'un étranger paraît mordu à ce point, il y a de quoi se sentir heureuse. Je dois admettre que je n'eus aucunement l'idée de remettre en cause l'intérêt qu'il me portait. »

Teri se mit à rire et j'en profitai pour lui demander comment cet homme s'y était pris pour déclarer sa flamme.

> « Il m'a réellement bernée. Même s'il ne l'exprimait pas verbalement, il était extraordinairement affectueux. Partout où nous allions, il me tenait par l'épaule. Il commença à m'appeler chaque jour et, tous les soirs, me disait où il se trouvait, s'il était avec ses enfants, etc. Il semblait vouloir passer tout son temps libre avec moi. Il avait toutes sortes de problèmes avec ses enfants et me raconta mille détails intimes sur leur vie. Il me raconta aussi qu'il avait des problèmes avec son ex-femme, qui était très jalouse et surveillait ses allées et venues. Même s'il ne me disait pas qu'il m'aimait et qu'il avait

besoin de moi, il laissait entendre par ses actes qu'il désirait vivre avec moi quelque chose de plus qu'une relation sans lendemain.

« Rendus à ce stade, nous nous rencontrions trois ou quatre fois par semaine, et il m'appelait presque chaque jour. Il me demandait de sortir avec lui le mardi, le jeudi et le samedi car, ces jours-là, il n'avait pas à s'occuper de ses enfants.

« Il nous fallut pas mal de temps avant d'en arriver à nous retrouver au lit. Je me faisais tirer l'oreille, mais il s'y prit de telle manière que nos rendez-vous s'acheminèrent lentement vers la chambre à coucher. Lors de notre deuxième rencontre, nous sommes allés danser et il devint de plus en plus sensuel, ce qui n'était pas désagréable. Il était si affectueux que faire l'amour ne fut que l'aboutissement logique de cette aventure.

« Dès que nous avons fait l'amour ensemble, j'ai senti immédiatement qu'un changement se produisait. Nous avions l'habitude de nous voir tout aussi souvent, mais il agissait différemment. Il s'était montré très amoureux, très chaleureux, puis s'était soudainement refermé sur lui-même. Je me demandais à quel jeu j'étais en train de jouer et en avais pleinement conscience. J'essayai d'en parler avec lui, mais il s'en tira par une pirouette. Vous savez, lorsque vous vivez une liaison relativement récente, vous ne connaissez pas suffisamment votre partenaire. Je me contentai de l'appuyer et de me montrer compréhensive.

« Après quelque temps, l'amour semblait le déranger, c'était évident. Il ne voulait plus que je dorme chez lui et commença à me déposer chez moi en prétextant qu'il fallait qu'il voie ses enfants de bonne heure le lendemain matin. Je compris alors qu'il ne voulait plus faire l'amour avec moi. Il me raconta que s'il se montrait aussi peu porté sur la chose, c'était à cause de son ex-femme, parce qu'il s'estimait toujours marié. Je me mis à le plaindre. Il ne voulut pas plus m'emmener chez lui que venir chez moi, mais je commençais à m'attacher singulièrement à lui. Un jour, où je l'avais appelé simplement pour lui dire bonjour, je le mis très mal à l'aise. Il me raconta que son plus jeune fils avait dit à sa mère : "Il y a une certaine Teri qui n'arrête pas d'appeler papa..." Mes appels lui causaient, prétendit-il, de sérieux ennuis. Je ne prêtai d'abord guère attention à ces remarques, mais il en faisait tout un plat. Il me disait que cela créait un véritable état de crise avec ses enfants et je me sentis alors mal à l'aise.

« Pour bien des raisons, notre relation ne progressait pas dans le sens où je l'espérais. N'étant pas agressive de nature, je n'argumentais pas et laissais tomber.

« Au début, je ne réalisais pas combien il était encore sous l'emprise de son ex-femme. Tout cela était confus. Je savais qu'il demeurait très proche de ses enfants, mais il ne me parlait jamais d'elle.

« Lorsqu'il parlait de ses anciennes épouses, c'était toujours au passé. Il se sentait très coupable envers elles, surtout envers la première. Son second mariage n'avait duré que peu de temps et il éprouvait de graves problèmes avec sa troisième femme.

« Cela ne l'empêchait pas d'être très chaleureux et très sensible. Je pense qu'il s'agissait d'un très gentil garçon et j'entretiens toujours un sentiment positif à son endroit. Si je devais lui exprimer ma colère, je pense que je lui dirais : "Pourquoi as-tu donc commencé à me faire cette cour ? Nous n'avions pas besoin de faire l'amour. Nous aurions pu demeurer bons amis. Pourquoi as-tu mis en train toute cette affaire pour ensuite me laisser en plan ?" Mais il est difficile de se mettre en colère avec un tel homme, car je crois qu'il est vraiment malade. Je ne pense pas qu'il ait fait tout cela pour que cette aventure se termine en queue de poisson. Je pense simplement qu'il est envahi de peurs.

« Il m'a écrit une lettre où il me racontait que je méritais de vivre une relation plus intéressante que celle qu'il m'avait offerte. Je l'ai appelé et il m'a emmenée au restaurant. J'ai pleuré en lui disant combien il était triste que nous n'ayons pu nous entendre. Il me raconta comment il avait l'habitude de tout louer : appartement, voiture, téléviseur, car sa vie était construite sur du temporaire et il ne pouvait se résoudre à s'engager à acheter quoi que ce soit. J'eus vraiment pitié de lui, parce que je ne pense pas qu'il voulait vraiment me blesser. Je doute qu'il sorte avec un tas de femmes. Il semble mener une vie solitaire qu'il n'apprécie aucunement. »

Je pus joindre Jack, qui accepta de m'expliquer ce qui, à son avis, avait buté dans la relation.

Jack avait une longue histoire d'infidélités à sa première femme, qu'il avait laissée pour une autre qu'il n'épousa pas, et à sa seconde, qu'il laissa aussi, pour une autre qu'il épousa parce qu'elle était enceinte.

« J'aimais bien Teri. Nous nous étions bien amusés lors de notre premier rendez-vous. Je l'invitai à sortir le lendemain soir. Nous avons été au restaurant. Je l'avais ramenée chez elle et je me souviens que j'allai la voir le lendemain pour l'inviter au cinéma et qu'elle était enchantée à cette idée. Nous sommes beaucoup sortis, quatre ou cinq soirs d'affilée. Elle me fascinait véritablement.

« La première fois que nous avons fait l'amour ensemble, c'était chez moi et, après cela, je ne voulais plus la voir dans ma maison. Je sentais qu'elle exerçait des pressions pour que je lui donne davantage, que les enfants allaient m'appeler et que j'avais autre chose à faire. J'ai beaucoup de mal à m'occuper d'une femme lorsque les enfants sont dans les parages et je ne peux faire complètement abstraction de leur mère.

« J'entretiens des relations bizarres avec mon ex-femme et bien des gens n'y comprennent rien. Nous faisons encore l'amour et c'est plus réussi que jamais. Nous nous voyons souvent. Comment pouvais-je avouer cela à Teri ?

« Lorsque Teri passait la nuit chez moi, je voulais qu'elle s'en aille avant 8 heures, juste au cas où ma femme ou mes enfants auraient fait irruption. Je n'ai jamais dit à mon ex que je voyais d'autres femmes ; elle ferait une crise de jalousie. Je ne suis jamais resté chez elle, de peur que ma femme ne m'appelle au beau milieu de la nuit (ce qui arrivait parfois).

« Un soir, Teri m'invita à dîner chez elle. Sa compagne d'appartement était sortie et il était visible qu'elle s'attendait que je passe la nuit chez elle. Elle vit que je n'en avais pas l'intention, me demanda ce que j'allais faire et, apprenant que je devais partir, me dit : "Je suis vraiment furieuse. Je sais que ce n'est pas ta faute, mais puisque tu es si pressé, pourquoi ne fiches-tu pas le camp tout de suite ?"

« C'est ce que je fis et, en arrivant chez moi, je lui écrivis cette longue lettre où je lui expliquais qu'elle méritait mieux que ce que j'étais en mesure de lui apporter.

Dans le fond, elle était adorable et je ne voulais pas la blesser. Elle reçut la lettre et c'est ensuite que je l'invitai au restaurant pour discuter de tout cela.

« Au restaurant, elle commença à me reprocher d'avoir fait l'amour avec elle. Si nous n'avions pas été amants, du moins aurions-nous pu être amis mais, étant donné les circonstances, elle n'envisageait même plus cette possibilité. Elle me fit remarquer que ce n'étaient pas les amis qui lui manquaient et me précisa — comme je l'avais prévu — qu'elle recherchait avant tout une relation durable.

« Je pense que la raison principale pour laquelle cette liaison a mal tourné est que j'entretenais toujours des relations avec mon ex-femme. Si cela n'avait pas été et si j'avais rencontré Teri dans d'autres circonstances, l'issue aurait pu être différente. C'est d'ailleurs ce que toutes les femmes me répètent. Elles souhaitent toutes que je sois plus disponible sur le plan émotionnel. Je pense qu'elles aimeraient toutes me psychanalyser, mais je ne demeure jamais assez longtemps pour leur fournir cette possibilité.

« Dans ma vie sentimentale, il semble qu'il y ait deux femmes en permanence. Aucune des deux ne parvient à me rendre totalement heureux. Lorsque j'ai quitté ma première femme, c'était pour une autre. Ce fut la même chose avec la deuxième. Je ne vis plus avec la troisième, mais nous entretenons encore des relations, ce qui ne m'empêche pas de voir d'autres filles.

« Il y a une autre raison pour laquelle ça n'a pas fonctionné avec Teri. Je n'aime pas tellement les blondes ; ce sont les brunes que je préfère. J'ai été attiré par la féminité de Teri, mais elle n'était pas vraiment mon type de femme. Même si je dis cela, je répète que s'il n'y avait pas eu ma femme et si j'avais rencontré Teri dans un vide affectif, j'aurais passé par-dessus ces détails.

« Il existait un autre problème avec Teri qui me dérangeait beaucoup. Elle était trop affectueuse, trop collante. Pas au début, mais à la fin. Si je changeais de siège, elle en changeait aussi. Je ne pouvais aller nulle part sans qu'elle me suive. Il fallait toujours qu'elle me touche. Si mon ex n'avait pas été dans le décor — parce que je crois qu'il y avait de bonnes raisons de faire progresser cette relation —, j'aurais peut-être expliqué à Teri que je n'aimais pas cela, mais, dans les circonstances, cela ne servait à rien de lui faire mal avec des reproches. »

Il est facile après coup de dire qu'il y a certaines choses qu'il aurait fallu remarquer ou que l'on n'aurait pas dû tolérer, mais lorsqu'un homme mène une double vie, rien n'est facile. Trop de femmes ont peur de passer pour des viragos. Elles acceptent alors ce qu'on leur raconte sans aller aux renseignements. Lorsqu'un homme fonctionne avec un agenda secret, il se trahit un jour ou l'autre.

Jack a pourtant livré certains messages sur lui-même à Teri :

Il a parlé de ses trois mariages. Même s'il existait de bonnes raisons pour ces échecs, le fait qu'il ait mentionné qu'il se sentait coupable pouvait mettre la puce à l'oreille. Il semblait se complaire à télescoper ses femmes les unes contre les autres.

Il a mentionné que son ex-femme était toujours jalouse. On peut se demander si la jalousie de cette ancienne épouse ne dissimulait pas la présence de droits légitimes qu'elle pouvait encore revendiquer.

Jack était séparé depuis trois ans. On s'attend qu'un homme qui vient de divorcer se pose des questions sur la manière dont ses enfants vont envisager la nouvelle arrivée mais, après trois ans, l'attitude de Jack indiquait qu'il n'en était pas là. Il leur dissimulait l'existence de Teri, ce qui indique la présence d'un problème qui n'est pas exclusivement de nature psychologique.

Il avait un emploi du temps très cloisonné depuis le début qui coïncidait avec certains jours réservés à ses enfants et d'autres à Teri. Ce type de restrictions indique fréquemment qu'un homme mène une double vie, qu'une autre femme empiète sur son temps. Si une autre femme a des exigences par rapport à son emploi du temps, c'est parce que l'homme l'a, d'une certaine façon, encouragée à se comporter ainsi et lui en a donné la permission.

5

Si près d'aimer et fabriquer tant de distances

Avoir une relation affective avec un représentant du sexe opposé peut se révéler non seulement un mode de vie rassurant, mais aussi une expérience enrichissante et profonde. Toute relation comporte certaines obligations, certaines attentes, certaines responsabilités et une forme d'engagement. Elle a ses structures et, pour le phobique, c'est justement cela qui blesse. Toute structure, même souple, est génératrice d'angoisse et de malaise.

Dès que l'un de ces hommes s'aperçoit que sa relation se bâtit, avec les contraintes que cela comporte, son être se mobilise pour s'y opposer et ses réactions de fuite commencent à se manifester. D'un seul coup, ce qui hier se présentait comme un havre de douceur et d'affection se mue en une prison. Sans aucune raison logique, il s'éprouve pris au piège.

Tout engagement, particulièrement le mariage, est considéré comme étant un piège sans issue.

De la même manière qu'un claustrophobe refuse d'entrer dans une pièce à moins d'être assuré d'y trouver des fenêtres faciles à ouvrir, un phobique de l'engagement refuse toute relation avec une femme s'il n'entrevoit pas déjà une porte de sortie.

Le phobique n'a de cesse de vous courtiser tant qu'il n'est pas certain que vous lui êtes acquise. Vous voilà maintenant à lui, parfaitement disponible. Peut-être vivez-vous ensemble, peut-être êtes-vous mariée avec lui ou aussi engagée sur le plan affectif qu'une véritable épouse.

Votre objectif : Faire progresser la relation afin de la consolider.

Son objectif : Prendre ses distances dans le cadre de cette relation.

La manière dont il va procéder à cette distanciation dépend des problèmes qui l'affectent. Un angoissé modéré peut se satisfaire de palliatifs : retard quelques soirs par semaine ; passe-temps qui exclut la femme ; isolement dans une autre pièce pour tenter de se ménager un espace vital, etc.

Un phobique plus coincé prendra plus de distance : prolongement des heures de bureau ; recherche de l'excellence dans un sport amateur ou un passe-temps qui l'éloigne pendant des périodes plus ou moins longues.

Le phobique terminal choisira des méthodes radicales : scènes de ménage, violence, refus de prendre les moindres responsabilités, utilisation d'autres femmes pour créer une zone tampon et vous éloigner de lui.

Certains sont quand même capables de vivre avec leur problème de façon constructive. On peut être témoin de ce type de disposition dans ces mariages où les conjoints acceptent mutuellement de distancer leurs relations en conservant une certaine liberté dans le couple.

L'union de mes amis Don et Joan est un bon exemple de cet arrangement. Depuis toujours, je connais Don, un ingénieur civil de 38 ans. Jusqu'à ce qu'il rencontre Joan, il n'était jamais sorti avec une femme plus de six mois. J'étais certain qu'il ne se marierait pas, car il avait rendu plus d'une femme malheureuse en agissant comme un phobique type. Ce fut différent avec Joan. Son métier — thérapeute du sommeil spécialisée dans la recherche — l'accaparait de nuit et les week-ends souvent. De plus, elle voyage beaucoup, donne des cours et des conférences. Depuis qu'il est marié, Don a davantage de temps libre et un horaire moins strict que lorsqu'il était célibataire. Parfois, avec une pointe d'humour, il se plaint de cet état de choses mais, dans le fond, ce genre de vie lui convient.

Un autre cas est celui de Bob. Bob admet être à la fois claustrophobe et phobique de l'engagement. C'est également un sportif convaincu. En hiver, il joue au squash et suit tous les matchs de football. Le printemps et l'été, il joue au tennis et va au base-ball. Chaque week-end, on le retrouve sur les pistes ou dans les salles d'athlétisme. Son épouse, qui a d'autres intérêts, l'accompagne rarement, mais dès que leur fils fut en âge de le suivre, Bob l'emmena partout. Ensuite, il devint entraîneur pour une équipe de jeunes joueurs de base-ball. Si vous passez une soirée avec Bob et sa femme, vous remarquez rapidement qu'ils ne sont pas du type inséparables. Même si tous deux affirment que leur mariage est des plus enrichissants et qu'ils sont très heureux comme cela, on les voit rarement ensemble dans la même pièce.

Les pires cas de phobie de l'engagement surviennent lorsque le phobique se fourvoie dans une relation ou dans un mariage et se réveille irrémédiablement pris au piège. Il est saisi de panique, il ne voit aucune autre issue que de détruire la relation, incapable de mettre un terme à cette malheureuse situation avec des moyens civilisés.

Pour compliquer les choses, il n'est pas vraiment certain de *vouloir* s'en aller. Il veut seulement s'assurer que la relation devienne suffisamment pénible pour lui permettre de fuir lorsqu'il le désirera et ce, sans besoin d'explication. Cet homme est si tourmenté qu'il trouve son bonheur lorsque la relation est bouleversée. Alors non seulement a-t-il une bonne raison de prendre le large, mais encore peut-il faire porter le chapeau à la femme.

Il est vrai que chaque médaille comporte deux côtés, mais lorsqu'un phobique aigu veut s'assurer qu'il ne sera pas pris au piège et qu'il sabote et détruit toute possibilité d'amour, la plus grande partie de la responsabilité lui revient.

Tout comme le claustrophobe coincé dans l'ascenseur, il croit réellement qu'il est emprisonné derrière des murs de brique. Trop désaxé pour trouver la porte dans le mur ou même pour l'ouvrir lorsqu'il l'aperçoit, il fait tomber les briques du mur psychologique, qui s'écroule en entraînant la relation dans sa chute. Plus souvent qu'autrement, vu qu'il perçoit la femme comme sa geôlière, le phobique va lui jeter au visage, l'une après l'autre, ces briques symboliques.

Il est rarement raisonnable. Tout ce qu'il sait, c'est qu'il est extrêmement mal à l'aise, qu'il n'y comprend rien et qu'il ne veut même pas en parler. Tout ce qui survient dans le couple pivote autour de ses impressions d'emprisonnement et de ce qui en résulte. La manière dont la relation progresse ou se désintègre, les enfants, la sexualité, les scènes de ménage, les pensées constructives ou destructrices, tout semble graviter autour de son besoin d'apaiser l'angoisse qui l'engloutit.

Il a cependant besoin de la sécurité que lui apporte l'amour d'une femme. Le conflit qu'il vit est donc insurmontable. Lorsque la compagne effectue une manœuvre de retrait, il revient à la vieille tactique de reconquête avant d'être pris de panique une fois de plus. Et le cycle infernal reprend...

Le phobique commencera peut-être à humilier et à abuser psychologiquement la femme-symbole (de ce qu'il estime être son incarcération). Il peut aussi essayer d'échapper à ses problèmes en trouvant d'autres femmes avec qui il aura des liaisons. Que vous soyez la femme-symbole ou l'autre femme, à moins de vous montrer d'une tolérance presque surhumaine (ou encore s'il change radicalement) vous n'avez pas la moindre chance de remporter la victoire.

Certains hommes sont capables de passer les étapes qui conduisent à la cérémonie du mariage (et même à celle-ci) avant de prendre panique et d'appuyer sur la commande du siège éjectable. En général, ce retardataire commence à réaliser ce qui lui arrive la veille de la cérémonie, mais le désarroi ne le submerge qu'après l'événement. Le phobique de l'engagement ne hait pas sa femme. C'est le piège du mariage qu'il abhorre. Un beau jour il se réveille en se disant qu'il ne peut plus supporter ce genre de vie et trouve l'excuse en elle.

Tous les hommes à qui je parlais de ce problème avouaient se sentir coupables après coup, mais la plupart affirmaient que, pendant, leur rage et leur ressentiment sont surtout dirigés vers la femme par laquelle ils s'estiment emprisonnés. Beaucoup mentionnent que même lorsque leur conjointe fait des pieds et des mains pour se montrer particulièrement indulgente et aplanir les difficultés, ils restent convaincus que tout n'est que manipulation pour mieux resserrer l'emprise sur eux.

Vincent, qui s'est marié et a divorcé deux fois, se souvient qu'avec sa première femme, il essayait toujours de planter le décor de façon à pouvoir mettre les voiles. Il voulait s'assurer que les raisons et les arguments pouvant servir de prétexte à partir étaient toujours prêts :

> « Après quelques semaines de mariage, je voulais déjà partir, mais ne savais pas comment m'y prendre. De toute évidence, je ne pouvais pas disparaître si le mariage se révélait une réussite. Ainsi, lorsque tout allait bien entre nous, au lieu de m'en réjouir, je commençais à chercher des tactiques destructives et lui reprochais de m'avoir poussé au mariage. Je faisais des scènes. Je savais qu'une relation doit normalement grandir, mais je n'avais aucune intention de grandir avec elle. Je commençais à me dire que quelque part se trouvait une autre femme qui me conviendrait beaucoup mieux. Dès la minute où je risque de me retrouver pour toujours avec une même femme, je prends conscience de ses imperfections. C'est ridicule, je sais que personne n'est parfait, à commencer par moi, mais c'est ainsi... »

Vincent m'a raconté que, sur le moment, il se sentait mal de faire perdre du temps à sa femme, car elle aurait pu se remarier et avoir les enfants qu'elle désirait, mais il ne se sentait jamais coupable de blesser son amour-propre ni de détruire l'image qu'elle avait d'elle-même :

> « J'ai débité une quantité de sornettes malveillantes à ma première femme. Aujourd'hui, je me sens coupable mais,

lorsque je le faisais, je n'avais aucune idée des dommages que je lui causais. Mes réactions étaient instinctives. J'avais l'impression de suffoquer dans ce mariage. Agir de cette façon était tellement nécessaire à ma survie que je ne pensais même pas à ce que je lui faisais. Je voulais juste m'assurer que j'aurais toutes les raisons de m'enfuir lorsque j'en aurais envie. »

Des phobiques ne m'ont pas caché qu'ils harcelaient constamment leur femme, pensant la rendre si malheureuse qu'elle prendrait l'initiative de la séparation.

> « Il n'y a pas de doute : je la mettais à l'épreuve en espérant secrètement qu'elle me vomirait et me jetterait dehors. D'un autre côté, j'étais horrifié à l'idée d'une telle éventualité. Je me souviens que ma femme me demanda un jour : "Puisque je suis si abominable, pourquoi restes-tu avec moi ?" Je n'eus pas le courage de lui avouer qu'une grande partie de moi souhaitait prendre le large. En fin de compte, c'est elle qui est partie. »

Une femme pour en chasser une autre

Pour l'homme soucieux de détruire son mariage, il n'existe pas de meilleur moyen que de s'offrir une petite aventure ou encore plusieurs. Le phobique n'agit pas différemment avec ses nouvelles maîtresses qu'il n'agit avec sa femme. D'habitude, il commence par séduire intensément sa future conquête et, bientôt, se retrouve tout aussi prisonnier qu'il l'était avec sa légitime.

Le cas de Karen

Karen est administratrice d'un petit théâtre dans le Colorado. Elle est intelligente, cultivée, ravissante et s'efforce d'avoir une perception positive de la vie et des gens. Elle plaît à beaucoup d'hommes, mais n'est pas précisément le genre de femme qu'un homme marié choisirait pour vivre une aventure extramaritale, car elle est trop analytique et trop complexe. Pourtant David, qui est marié et a trois enfants en bas âge, a tout mis en œuvre pour l'intégrer à son existence.

> « Chaque matin, en allant chercher les journaux, je rencontrais cet homme qui finissait par faire partie du décor. Je le vis seul pendant plusieurs mois, puis avec un bébé. Je me dis alors qu'il devait être marié et que, par conséquent, il n'y avait rien de bien périlleux à engager la conversation avec lui. »

Karen le salua et découvrit qu'ils s'étaient vaguement connus à l'université. David tendit sa carte de visite à Karen, qui jugea ce geste prétentieux et quelque peu bizarre :

> « Peu après, il commença à m'appeler le lundi, jour de relâche. Je m'occupais à plein temps d'un nouveau théâtre où j'avais investi beaucoup de temps et d'argent, mais le succès tardait à venir. Je ne

pouvais pas toujours payer mes frais généraux. Cela me déprimait, me rendait nerveuse et m'effrayait. Toute ma vie était consacrée à mon travail. Je passais mes jours de congé enfermée. C'est alors qu'il m'appelait et que je me demandais : "Que me veut-il, au juste ?" Je ne me souvenais plus de ce qu'il m'avait raconté, seulement que c'était l'un des étudiants qui m'attiraient le moins à l'université et qu'il avait un air renfrogné qui disparaissait dès qu'il prenait la parole, ce qui ne se devinait pas au téléphone. Il me demandait toujours : "Que faites-vous donc ?" Je lui répondais que j'étais au lit. "Etes-vous seule ?" Je pensais qu'il était non seulement laid et renfrogné mais qu'en plus il était grossier. Puis il se mit à m'inviter au restaurant. Je refusais. Parfois, il m'appelait plusieurs fois dans la journée et je m'entendais lui crier : "Non, non et non !" Je n'ai pas l'habitude de jouer les mégères avec les hommes, mais je ne me gênais pas avec celui-ci. Il tenta de me faire changer d'avis et j'en éprouvai un certain sentiment de culpabilité. Après quelques semaines, il ne me sembla plus aussi affreux et je me dis qu'après tout, ce n'était peut-être pas une si mauvaise idée que de sortir. »

Karen affirme qu'elle ne savait toujours pas ce que David recherchait en elle, mais elle se retrouva avec lui au restaurant et il l'encouragea à parler d'elle. Elle s'épancha quelque peu et il se révéla un auditeur attentif, comme si cela l'intéressait au plus haut point.

> «Je décidai qu'étant donné qu'il ne travaillait pas, il devait s'ennuyer. Par pure coïncidence, je découvris qu'il était auteur dramatique. Même s'il n'avait jamais réussi à faire jouer une seule de ses pièces, il avait quelques revenus provenant de placements immobiliers qui avaient pris de la valeur avec les années. Il avait l'habitude de dire qu'il faudrait le payer cher pour travailler. Je pensais alors que c'était une brillante idée de sa part. Avant de rencontrer David, je croyais tout ce qu'un homme me racontait. Il m'expliqua qu'il avait choisi de ne pas travailler et je tins pour acquis qu'il s'agissait là d'un type intelligent qui avait fait un choix en utilisant les possibilités qu'ont les hommes et que ce n'était pas bête du tout. La plupart d'entre nous passent leur vie à travailler comme des bêtes, et un spécimen avait choisi de ne pas suivre la horde. Je ne pensai pas un seul instant qu'il avait peur de quelque chose, qu'il ne se sentait pas à l'aise dans un contexte de travail ou encore qu'il avait des problèmes. Il paraissait si calme, tellement en possession de ses moyens. Il me raconta qu'il était marié et heureux et que tout ce dont il avait envie de parler, c'était de mes problèmes. J'en déduisis que cela devait le distraire.»

Après une année de déjeuners au restaurant, David commença à inviter Karen chez lui le midi. Elle ne put s'empêcher de remarquer que sa femme était toujours absente. Parfois, elle se trouvait chez sa sœur avec les enfants, parfois, elle était ailleurs et il héritait de ceux-ci. Karen en conclut que sa femme et lui n'étaient jamais au même endroit au même moment et qu'elle semblait se moquer de ce qu'il pouvait bien faire.

> « Un jour, David commença à me suggérer que nous devrions nous donner mutuellement des massages. Le sujet arrivait comme un cheveu sur la soupe mais me permit de constater que je l'attirais. Cela me troubla et j'en discutai avec mon psychiatre, qui m'encouragea carrément à avoir une liaison. "Karen, me dit-il, vous êtes dans le désert et en train de mourir de faim. Quelqu'un vous offre des *hamburgers* chez *MacDonald's,* mais vous rêvez de *steaks* au poivre flambés... Le bon sens ne vous dit-il pas de manger les *hamburgers* avant de pouvoir faire le repas gastronomique dont vous rêvez ? »

Karen me confia que lorsque David lui parla une fois de plus de massage, elle finit par se trouver au lit chez lui. Elle se souvient même s'être dit que c'était le lit de sa femme, ce qui la rendit toute chose. David ne semblait pas s'en formaliser. C'est alors qu'elle lui posa quelques questions sur son mariage.

> « David se garda bien de tout commentaire négatif sur sa femme. Il se contenta de me dire qu'il y avait longtemps qu'ils n'avaient plus de rapports sexuels. Sa

femme se plaignait qu'il n'était pas tendre et qu'il ne s'intéressait qu'à lui faire l'amour, ce dont elle était incapable. Je lui demandais s'il aimait son épouse et il me répondit que lorsqu'ils étaient jeunes mariés, sa femme lui demandait toujours s'il l'aimait ; il ne savait alors que lui répondre : "Je fais de mon mieux..."

« Je ne tardai pas à comprendre que le mariage de David battait de l'aile, mais j'imputai cette situation à sa femme. D'après ce que j'avais pu constater, cet homme était aimant, gentil, et assumait ses responsabilités paternelles. Je me sentais plus optimiste et mes affaires allaient mieux. L'appui moral et les encouragements qu'il me prodiguait m'aidaient. Je lui en étais reconnaissante et voulais lui rendre la pareille. Je ne tenais aucunement à briser son mariage. Je n'avais aucune attente et n'exigeais rien de sa personne. S'il m'appelait, c'était bien ; s'il ne m'appelait pas, c'était bien quand même. Au début, nos rapports sexuels ne furent pas transcendants, car il ne m'attirait pas vraiment, mais j'apprenais tout de même à apprécier sa façon de faire l'amour. »

Le temps passait et David s'insinuait de plus en plus dans la vie de Karen. Il était comme bien des phobiques de l'engagement ; le fait que Karen était une femme indépendante s'occupant de son affaire et n'ayant aucune envie de briser son ménage lui donnait l'impression qu'elle n'avait pas réellement besoin de lui. Comme elle le disait si bien, elle n'échafaudait aucun plan à long terme avec son amant. Puis il se mit à agir comme s'il jouait avec de la dynamite en mettant la vie de son amie à contribution. Sur le moment, Karen pensa qu'il n'était qu'un être naïf et qu'il aurait été fou de mettre en péril son mariage et sa femme.

Il y avait maintenant neuf mois qu'ils faisaient l'amour ensemble lorsque Karen rencontra un autre homme avec qui elle sortit, le Jour de l'an, car elle était restée seule à Noël.

> « David m'appela pour me souhaiter la bonne année pendant que cet ami était dans mon appartement. Lorsque je lui mentionnai que je sortais avec quelqu'un, il fit une colère mémorable qui me choqua. Je ne pensais pas que David et moi étions amoureux. Je pensais simplement que nous entretenions une petite liaison bien classique qu'il désirait d'ailleurs davantage que moi.
>
> « Le jour suivant, il vint à mon bureau et commença à angoisser de manière inquiétante. Il déclara qu'il m'aimait. "Que veux-tu dire par là ? lui répétai-je. Tu vis avec ta femme, tu couches avec elle..." Et puis, où était donc le mal ? Après tout, je n'avais fait que sortir avec quelqu'un d'autre.
>
> « Il souffrait d'hyperventilation et respirait difficilement. Je le fis asseoir dans les

coulisses. J'étais censée travailler et, au lieu de cela, je tentais de calmer un homme marié qui faisait des scènes parce qu'on m'avait invitée à sortir. C'était ridicule. Mais lorsqu'il m'affirma que je représentais pour lui ce qu'il avait de plus important, je commençai à le croire.

« Je déclarai à David que je voulais repenser à toute la situation et c'est ce que je fis. Avant cela, je n'avais pas compris que David m'aimait. Je savais que je ne l'aimais pas, mais il n'en allait pas de même pour lui. C'était le deuxième homme dans ma vie à me déclarer son amour et il semblait très sincère. Je décidai que s'il avait dit que j'étais importante pour lui, cela était sûrement vrai. Je lui promis donc de ne plus sortir avec personne d'autre. Je me disais que si jamais je trouvais quelqu'un qui me plaisait et que je désirais sortir avec lui, la meilleure solution serait de n'en point parler à David, à moins d'y être forcée par les événements. »

Karen et David continuèrent ainsi à se voir jusqu'à l'été. Elle se souvient qu'il semblait l'aimer de manière durable. Puis Karen décida de prendre des vacances et, une fois de plus, David fit une crise d'angoisse aiguë.

« Je réalisai que je pouvais avoir la main haute sur lui grâce à nos rapports sexuels. Il était effrayé à la seule idée que je puisse coucher avec quelqu'un d'autre. Je lui répondis que s'il avait si peur, il n'avait qu'à venir en vacances avec moi et c'est ce qu'il fit. Il faut dire que sa femme lui facilitait les choses. Elle passait tous les étés chez ses parents, à la montagne, endroit qu'il détestait. A cette époque, je pensais qu'elle était imprudente de ne pas choisir un lieu de villégiature qui aurait convenu à David, mais maintenant je sais que peu importe l'endroit qu'elle aurait choisi, il aurait trouvé quelque excuse pour que cela ne fonctionne pas. »

Karen et David se rendirent en Californie et suivirent la côte. Karen se souvient avoir choisi avec lui des cadeaux pour sa femme. Elle ne pensait pas encore à une relation permanente. Tout cela changea lorsque, soudainement, au retour, David la demanda en mariage à l'aéroport :

« Je lui répondis que j'allais y penser et c'est ce que je fis. J'avais déjà été mariée et ne voulais pas sauter à pieds joints dans une autre aventure du genre, mais j'avais toutefois commencé à prendre David très au sérieux. Rien n'avait jamais cloché entre nous. Il était toujours tendre, jamais colérique ou maussade, toujours prêt à me faire plaisir. Il semblait que nous étions capables d'aplanir nos petits différends et je pensais qu'après tout il était un amoureux fort agréable.

« Une journée ou deux après notre retour, David fut soudainement pris de panique et vint me voir en pleurant. Il pensait que sa femme avait un amant et cela l'affligeait. Je me mis alors en colère : "Cela veut dire quoi ? Tu viens deux semaines en vacances avec moi, tu dépenses avec moi de l'argent que tu aurais dû dépenser pour ta femme et tes enfants et maintenant tu viens pleurer dans mes jupes qu'il est impossible que ta femme ait un amant ? Réfléchis un peu… Tu ferais mieux d'aller raconter cela à un psychanalyste parce que moi, je ne veux rien savoir…" J'étais en rage.

« Il me regarda d'un air pitoyable et me dit : "Mais je pensais que tu étais mon amie…" "Je suis ta maîtresse, répondis-je. Comprends-tu cela ?" On aurait cru qu'il avait percuté un poids lourd tant il ne comprenait pas ma réaction. Il alla retrouver sa femme, pleura et lui confia ses craintes. Elle lui répondit qu'elle l'aimait trop pour le tromper et il eut l'audace de me le raconter ! »

David venait de dévoiler une facette de lui que Karen n'avait jamais aperçue auparavant, un aspect si différent de sa personnalité habituelle qu'elle pensa qu'il s'agissait d'une conduite aberrante mais temporaire provoquée par le stress que lui causait l'idée de quitter une femme pour en épouser une autre. Aujourd'hui, elle a compris le message et sait qu'elle aurait dû réagir avec plus de réalisme à cette situation qui, alors, lui avait semblé bizarre et incompréhensible. Cependant, il continuait à lui parler de mariage :

« Au cours de l'automne et de l'hiver, nous avons décidé de nous marier. Tout ce que David avait à faire était de quitter sa femme. Il commença par déclarer qu'il ne savait pas trop comment il allait s'y prendre. Lorsque j'insistais un peu, il ajoutait: "Mais nous avons toute la vie devant nous..." Je pensais qu'il faisait preuve de sensibilité et de délicatesse envers sa femme et je respectais ce choix en n'insistant pas plus que nécessaire.

«A un certain moment, j'eus la nette impression que la relation ne fonctionnerait peut-être pas. David avait l'habitude de m'appeler cinq ou six fois par jour. Cela me dérangeait dans mon travail, si bien que je lui demandai de ne pas m'appeler durant la journée. Je percevais de manière intuitive que, dans le fond, sans savoir si je le faisais exprès ou non, je l'invitais ainsi à passer davantage de temps avec moi le soir. Dès que j'exprimai ce désir, je sentis que David n'allait pas accomplir ce à quoi il s'engageait, mais je mis cette impression douloureuse et ce sentiment d'avoir perdu quelque chose sur le compte d'une imagination trop fertile et trop portée à dramatiser.»

La plupart des femmes m'ont dit qu'elles avaient connu de tels moments de lucidité et que c'est là que leur relation avait commencé à se désagréger. Karen ne voulait pas demeurer la maîtresse de David. Elle voulait qu'il s'engage, qu'il quitte sa femme. Ce changement en amena un autre de la part de David:

«Lorsque le Jour du souvenir arriva, c'était un lundi et je m'imaginais que nous le passerions ensemble, comme tous les lundis. Il faut dire que les jours fériés j'avais l'angoisse d'être seule. Lorsque David m'expliqua qu'il avait l'intention de rester avec sa femme et ses enfants, je devins furieuse. Je débitai une tirade classique dans le genre : "Mais voyons... le lundi c'est *ma* journée !" puis je jetai par terre un verre qui ne se cassa même pas. Il se mit en colère et *me* demanda comment je pouvais *le* traiter de façon si abominable. Une fois de plus, il me répéta que nous avions toute la vie devant nous. Cette fois, je le mis à la porte.

« Quelques heures plus tard, il m'appela d'une cabine téléphonique. Il se sentait horriblement mal à l'aise et moi de même et nous en restâmes là. »

Karen hésitait terriblement à pousser David au mariage, mais elle désirait que ce stade-ci de leur relation prît fin, elle souhaitait que David agisse selon les termes de son engagement. Elle eut la bizarre impression qu'il n'était pas aussi fort qu'il voulait le paraître. David lui donnait la permission de le malmener. Il lui raconta que son psychanalyste lui avait dit que s'il restait avec sa femme, il y avait de fortes chances pour qu'il demeure malheureux le reste de ses jours et que, d'un autre côté, s'il épousait Karen, il serait stressé pendant un certain temps pour avoir quitté sa femme mais serait très heureux. Karen demeura convaincue que David avait besoin d'aide pour en finir avec son mariage.

Le psychiatre de Karen lui fit comprendre que certaines personnes ont besoin d'un ultimatum et lui suggéra d'acculer David au pied du mur afin de le faire bouger, mais comme elle n'avait rien d'une manipulatrice, elle discuta avec David :

> « J'expliquai à David ce que mon psychiatre m'avait dit et, pendant un certain temps, nous avons parlé de cet ultimatum. Finalement, vers la fin de juin, je lui ai dit : "D'accord, je t'accorde trois mois..." »

Karen dut se rendre à l'évidence. La femme de David sentait qu'il y avait anguille sous roche. David rapportait certaines de ses conversations avec elle au cours desquelles elle remarquait que leur mariage était un fiasco et lui demandait s'il désirait divorcer. Cette épouse lui offrait candidement une porte de sortie et faisait bien comprendre à son mari qu'elle ne le retenait pas dans quelque prison maritale :

> « Lorsque sa femme lui demanda ce qui se passait, David lui répondit qu'il ne voulait pas en parler. Finalement, il me raconta qu'elle lui avait demandé s'il avait une liaison et qu'il lui avait répondu que ce n'était pas le cas. Une fois de plus, j'explosai et lui donnai 24 heures pour se décider. Il faudrait qu'il se décide, autrement c'en serait fini de notre aventure.
>
> « Sa femme se trouvait à la résidence d'été de ses parents. Lorsqu'il s'y rendit, je n'eus plus d'illusions : il allait certaine-

ment y demeurer mais j'acceptais cet état de choses. J'étais préparée à tout. J'imaginais deux scénarios : ou bien il demeurait avec sa femme et tentait de sauver son mariage, ou bien il annonçait à sa femme, non sans tristesse mais avec soulagement, qu'il la quittait et s'apprêtait à recommencer sa vie avec moi.

« Aucune alternative ne fonctionna. David appela. Sa voix était glaciale, contrariée, monocorde : "Tu sais, me dit-il, c'est la pire des corvées qu'il m'ait été donné de faire dans ma vie..." »

Tout ce qu'il disait, ainsi que le ton qu'il employait, concourait à culpabiliser Karen, comme si elle avait commis quelque crime. D'un seul coup, il lui fit sentir qu'*elle* était coupable d'avoir fait souffrir sa femme. Il expliqua à Karen qu'il allait demeurer avec son épouse pendant le week-end et que *peut-être* il la rappellerait à son retour. Karen ne put s'empêcher de s'accrocher à ce peut-être comme à une planche de salut. L'attitude de David avait changé et elle ne savait plus où donner de la tête.

« Eh bien ! il m'appela en revenant. Il avait dit à sa femme qu'il la quittait mais continuerait à vivre chez elle avec ses enfants. Il me déclara qu'il ne pouvait vivre dans mon appartement, même temporairement, parce qu'il était trop exigu. Et puis, il avait beaucoup changé. Lui qui ne trouvait rien de trop beau pour me faire plaisir commença à tout critiquer.

Nous promener dans la rue était devenu une corvée. D'ordinaire si tendre, si amoureux, si enthousiaste, il afficha un négativisme total. Cela ne dura que quelques jours parce que, en le regardant, je pensais : "C'est ainsi qu'il a probablement toujours été avec sa femme…" »

Il ne restait plus pour David qu'à emménager chez Karen mais, dans son esprit, il avait dit à sa femme qu'il la quittait et même si cette dernière était blessée, elle avait accepté l'irrémédiable. David était dorénavant libre de passer autant de temps qu'il voulait avec Karen mais, par le fait de quelque curieuse alchimie, elle avait cessé de le rendre heureux pour se transformer à ses yeux en geôlière. Pour Karen, ce changement d'attitude ne pouvait que l'insécuriser et la pousser à s'accrocher à la relation.

« Je réalisai alors mon désarroi. J'en parlai à mon psychiatre qui me déclara : "Vous êtes dans une situation très délicate, mais vous ne sauriez dire pourquoi…" Il me suggéra de voir une conseillère matrimoniale et David, qui ne respectait son engagement envers moi que du bout des lèvres, fut d'accord pour rencontrer celle-ci. Je racontai à la conseillère comment David disait qu'il allait divorcer et m'épouser, mais lorsqu'il fallut entrer dans les détails, plus rien ne fonctionna.

« En nous rendant à notre deuxième rencontre avec la conseillère, après avoir garé la voiture, David me prit dans ses bras et me déclara qu'il m'aimait plus que tout au monde. A cette époque, j'étais convaincue (du moins avait-il réussi à me convaincre) qu'il m'aimerait jusqu'à la mort et que rien ne le ferait changer d'avis. Lors de cette rencontre, tout sembla se brouiller et je ne me souviens plus de tout ce qui fut dit. Je pense que je parlais du fait que David ne semblait pas *comprendre* que ce qui se passait entre nous me faisait très mal. Ma détresse ne semblait pas du tout le toucher. La conseillère me demanda : "Comprenez-vous, Karen, que David se moque de votre détresse ? N'est-ce pas exact, David ?" David se contenta de lui répondre qu'elle avait raison. Comme dans le brouillard, j'avais conscience que cette détresse, que cette douleur me concernaient directement, mais quelque chose était terriblement faussé dans toute cette histoire. Puis la conseillère demanda à David : "Vous êtes incapable de vous engager. N'ai-je pas raison ?" David lui répondit que c'était bien cela.

« Cette thérapie prit fin à cet instant précis. J'étais en état de choc et ressentais une immense douleur. Non pas que je ne pouvais pas vivre sans David, bien au contraire. Ce qui me faisait mal, c'était l'absurdité de tout ce qu'il avait pu me raconter. Il s'agissait pour moi d'une expérience horrible. Je n'avais plus faim, plus sommeil. Je le rencontrai un peu plus tard. Il avait l'air très bien, le teint rose et sûr de lui. J'étais torturée à la seule idée que ma douleur glissait sur lui comme l'eau sur les plumes d'un canard. Je décidai alors que David devait être en train de faire une dépression nerveuse. La seule explication valable pour moi était qu'il devait être en passe de sombrer dans la folie. »

Il est facile de voir comment, pour Karen, David avait perdu l'esprit. Elle ne pouvait comprendre comment un homme présumé normal pouvait passer à travers les tourments émotionnels qu'ils avaient tous deux vécus en ne s'en trouvant point affecté. Elle était certaine que David lui avait menti pendant des années. Mais qui donc pouvait jouer ainsi un jeu aussi diabolique ? Cela n'avait aucun sens. C'est ainsi qu'elle avait décidé qu'il faisait une dépression, que dès qu'il serait guéri et réaliserait son erreur, il ne pourrait que lui revenir :

« Du fond du cœur, j'étais persuadée qu'il reviendrait. Je ne pouvais me résoudre à croire que l'amour que nous avions partagé n'était pas vrai. Je me traînai ainsi durant tout l'été, perdis neuf kilos. Puis, en septembre, David m'appela et me demanda s'il pouvait venir me voir. Evidemment, j'acceptai.

« Je le retrouvai exactement comme au début. "Tu es une vraie sainte, me dit-il. Peux-tu vraiment me pardonner ?" Je pensai qu'enfin il sortait du brouillard et que mon cauchemar prenait fin. Je lui pardonnai... bien sûr. Mais la vieille cassette se remit à jouer. Nous parlâmes de mariage et il se mit à tirer des plans pour quitter sa femme. Puis son comportement à mon égard se remit à changer. Le David que j'avais connu, l'homme qui prétendait toujours vouloir me rendre heureuse, qui m'écoutait, n'existait plus. A la place, je retrouvai un être qui ne voulait rien donner. *Rien de rien.*

« Comme je lui confiais mes sentiments, il me répondit : "Je fais de mon mieux." C'étaient les mêmes mots que ceux qu'il utilisait, de son propre aveu, avec sa femme lorsqu'elle lui demandait s'il l'aimait. A bien y penser, il ne l'avait même pas quittée que, déjà, il me traitait comme elle !

« Puis une sorte de miracle survint. Un samedi soir, je fus invitée à une fête à laquelle David ne voulut pas aller. Un autre homme m'appela dans l'après-midi et je lui demandai de m'accompagner. Fidèle à lui-même, David me fit une scène lamentable. Malgré tout ce que je pus lui dire, il était convaincu que cet homme allait passer la nuit avec moi. La réaction de David fut de décider de rentrer chez lui pour dire à sa femme qu'il la quittait. Je pensais alors qu'il était étrange que la seule manière d'obtenir quelque chose de cet homme était d'utiliser des menaces. Cela n'avait vraiment rien à voir avec l'amour. »

Même si Karen ressentait encore quelque attachement, elle put prendre suffisamment de recul et faire appel à l'expérience qu'elle avait acquise avec David pour comprendre qu'elle n'avait plus la force ou le désir de poursuivre ce type de relation. Sur le plan émotionnel, elle était épuisée par ce syndrome récurrent qui se manifestait par une cour assidue suivie de réactions de panique :

> « David se présenta le lendemain matin et me raconta qu'il avait avoué à sa femme qu'il avait une maîtresse. Cela ne ressemblait pas à quelqu'un qui a décidé de quitter sa femme mais plutôt à quelqu'un qui a décidé de semer une diabolique incertitude dans l'esprit de tous ceux qui gravitent autour de lui. Vers la fin de la journée, je me rendis chez mon psychiatre, qui confirma mes soupçons en me disant : "Voyons, Karen, un homme qui veut cesser toute relation avec sa femme ne va pas se créer d'autres problèmes ou amorcer d'interminables discussions. Il prend sa valise et s'en va, un point c'est tout. Maintenant, écoutez bien ce que je vais vous dire : sa femme ne va plus le quitter d'une semelle..."
>
> « Lorsque je revins à la maison dans l'après-midi, David me téléphona. Je lui racontai ce que mon psychiatre m'avait dit. "Tu as raison, me répondit-il, les choses ont changé..." Je sentis mon cœur battre la chamade. "J'aime ma femme..." ajouta-t-il.

« Je lui demandai de venir me voir et, à ma grande surprise, il accepta. Lorsqu'il passa la porte, je le frappai. Cela se poursuivit pendant trois quarts d'heure et je ne pouvais croire qu'il se laissait faire. Lorsque j'arrêtai, il me raconta des saloperies abominables. Il commença par me dire qu'il ne se rappelait pas s'il m'avait aimée, mais qu'il était certain d'une chose : il n'éprouvait plus le moindre sentiment pour moi et aimait *véritablement* sa femme. Il continuait à me répéter qu'il était légitimement marié, tout comme si je ne l'avais pas compris depuis le début. Il me demanda de ne plus jamais le rappeler chez lui. Je ne l'avais d'ailleurs jamais appelé et n'avais aucune intention de commencer ce jour-là. En fait, je ne devais jamais plus parler à David.

« Au cours de la dernière année de notre liaison, j'avais travaillé avec David sur une pièce qu'il avait écrite et lui avais promis que notre théâtre la mettrait à son répertoire dès qu'il l'aurait terminée. Je tins ma promesse, mais c'est mon assistante qui s'occupa des détails. Plus tard, je découvris qu'il sortait maintenant avec une femme rencontrée un an auparavant au théâtre. »

Lorsque sa relation avec David commença, Karen avait cru que le problème de David résidait dans le fait qu'il vivait avec une femme qui ne lui apportait pas ce qu'il désirait, que son mariage était étouffant. A la fin, elle savait qu'il n'en était rien.

> « Le péché dont je me suis probablement rendue coupable dans toute cette histoire en fut un d'orgueil. Mon amour-propre était si fort que je me suis prise pour une héroïne. Je pensais que j'étais différente de sa femme, meilleure qu'elle. A la fin, j'étais exactement comme cette dernière. Je demandais : "M'aimes-tu ? M'aimes-tu ?" et il me répondait : "Je fais de mon mieux." Je pensais que nous vivions le véritable amour, un bel amour. Je pensais que trois ans d'échanges intenses ne pouvaient s'évanouir aussi facilement, mais je me trompais lourdement. David fut certainement très injuste. Il connaissait probablement la vérité sur lui-même. J'étais aveugle, mais je suis certaine qu'il connaissait ses tares... »

Il est facile pour la femme que l'on désigne comme « l'autre femme » de se faire une image erronée de l'épouse légitime. S'il dit que celle-ci se moque de ce qu'il peut bien faire, qu'elle mène sa propre vie de son côté, et que, dans le fond, ils ne se sont jamais bien entendus, vous en déduisez que ce doit être la faute de cette mauvaise épouse. Et pourtant, dans la très grande majorité des cas, cette légitime n'est rien d'autre qu'une femme qui essaie d'avoir une relation honnête avec le même homme que vous...

Le cas de Joyce

Joyce est l'exemple type d'une femme mariée (et désirant le demeurer) à un phobique de l'engagement. Elle a réussi à s'adapter au besoin qu'éprouve son mari, Hal, de garder ses distances et a même appris à supporter ses fréquentes passades. Une autre femme se serait peut-être mise en colère et aurait pris le large. A l'origine, Joyce est restée à la maison pour les enfants ; maintenant, elle reste parce que avec le temps les choses sont devenues pour elle plus faciles à supporter. Elle n'hésite pas à avouer que les considérations matérielles ont à voir avec sa décision. Je pense que cette femme aime véritablement son mari et qu'elle a un caractère et une détermination peu communs.

Joyce est une New-Yorkaise élégante, sophistiquée, ayant beaucoup voyagé, qui, il y a 19 ans, lorsqu'elle s'est mariée, était une petite fille surprotégée originaire d'un environnement rural au Vermont.

> « S'il n'y avait pas eu la guerre du Viêt-nam, je doute que Hal se serait marié avec moi. Nous sortions ensemble au moins une fois par semaine depuis un an. Il n'était pas le seul garçon à qui je donnais des rendez-vous, mais c'était celui à qui je trouvais le plus de charme. Il n'avait pas un sou et il semblait toujours avoir la tête dans les nuages, mais il m'attirait vraiment. L'intensité de son regard, peut-être… et il semblait toujours avoir besoin

de moi, même s'il ne le disait pas. Même alors, je dois l'admettre, il ne fallait pas trop compter sur lui lorsqu'il promettait d'appeler ou de passer à la maison. Je me faisais abondamment courtiser et étais si indépendante à l'époque que de tels détails ne me dérangeaient guère et que j'étais loin d'envisager que cela puisse un jour me porter préjudice. Même si nous fréquentions la même université, nous ne nous rencontrions pas souvent. Ma colocataire sortait avec son copain. C'était le grand amour entre eux au point qu'ils en remettaient et je pense que c'est leur exemple qui m'a beaucoup rapprochée de Hal plutôt que sa personnalité. Les autres étudiants le considéraient comme une espèce de gaffeur qui se moquait de tout et de rien et, si je l'avais mieux connu, j'aurais probablement pensé la même chose de lui. Il reçut son diplôme à peu près en même temps que sa feuille de route et me demanda en mariage. Il se garda de me dire : "Marions-nous, car je ne veux pas aller faire l'idiot au Viêt-nam" mais, en y pensant bien, c'est probablement ce qu'il pensait. Quant à moi, je m'imaginais simplement qu'il ne voulait pas être séparé...

« Il me demanda de partir en week-end avec lui, mais je lui répondis que je ne pouvais pas. Il me rétorqua : "Alors marions-nous !" J'acceptai d'emblée. Il faut parfois plus de temps aux gens pour savoir ce qu'ils vont commander au restaurant que j'en pris pour me décider. Je pense que j'avais envie de faire l'amour avec lui mais que je n'aurais pas su comment le faire sans me marier. J'avais reçu une stricte éducation religieuse. Même si des copines m'avaient devancée avec leurs petits amis, pour moi, cela restait tabou. Je me rappelle que c'était un samedi soir vers minuit. Nous avons appelé mes parents, il a appelé les siens. Dans le courant de la semaine, nous avons été nous procurer les papiers, les anneaux et, le samedi suivant, c'était fait, nous étions mariés. »

Il peut sembler bizarre de s'engager pour se soustraire à un autre engagement, mais j'ai découvert que de nombreux phobiques agissent ainsi. Ils épousent souvent une femme pour en fuir une autre. Ici, l'objectif de Hal était de ne pas faire son service militaire. Ce type d'homme, pressé, se marie à la sauvette de manière à ne pas avoir le temps de reculer. Après coup, lorsqu'il s'arrête un instant pour y penser, son union prend des allures presque anecdotiques :

« Nous partîmes pour notre lune de miel. Sur le plan sexuel, nous nous entendions très bien. Puis Hal décrocha un emploi à Chicago et nous déménageâmes dans cette ville. Je me retrouvai tout de suite enceinte. Il travaillait de longues heures, s'en plaignait mais me semblait quand même y passer sa vie puisqu'il n'était jamais à la maison. Il effectuait des recherches sur un certain médicament et vivait pratiquement dans son laboratoire ou avec ses compagnons de travail. Lorsque le bébé arriva, je m'habituais à vivre seule. Puis il prit des cours d'administration le soir et je me retrouvai plus seule encore. Bien sûr, je retombai enceinte. J'étais très isolée de mes amis et des gens de notre génération. D'abord, nous vivions dans des habitations à loyer modique et les femmes de mon âge avaient depuis longtemps cessé de se marier et de tomber enceintes. Mes amies vivaient toutes dans de coquets appartements et poursuivaient quelque carrière. Lorsque je demandai à Hal de passer un peu plus de temps à la maison, il me regarda comme si je l'avais insulté. Il ne nous consacrait tout au plus qu'une soirée par semaine et mes enfants devinrent mes meilleurs amis.

« Hal changeait d'emploi régulièrement. Il travailla comme représentant pour un laboratoire qui fabriquait des vitamines. De la recherche à la vente, il y avait toute une différence, mais vendre voulait dire voyager et disparaître des journées entières. Au lit, c'était toujours formidable et, lorsqu'il faisait de brèves apparitions à la maison, il semblait heureux d'être marié. Moi, j'étais malheureuse car ma vie se résumait aux enfants. Je les avais eus à moins de deux ans d'intervalle et ils m'accaparaient. J'aurais certainement quitté Hal, mais je ne savais où aller et mes parents n'y auraient certainement rien compris. Je me retrouvais complètement isolée. J'étais devenue la parfaite femme au foyer et j'étais gênée d'admettre que mon mari était toujours absent.

« Nous étions mariés depuis huit ans lorsque deux événements survinrent. Nous devînmes riches et je découvris que Hal avait des relations extramaritales. Il avait réussi à mettre à contribution ses connaissances scientifiques et commerciales pour lancer une affaire de produits et de cosmétiques à base d'éléments naturels qui connut un grand succès. Il fit fortune et aurait pu s'en trouver heureux. Il n'avait plus à travailler aussi fort et n'était plus obligé de rentrer tard le soir. Malheureusement, il n'avait jamais appris à rester chez lui. De plus, il eut des maîtresses. Peut-être avait-il vécu de telles aventures auparavant, mais je n'en avais jamais rien su. Au début, lorsque certains indices me mirent la puce à l'oreille, je laissai l'abattant de la cuvette des cabinets toujours ouverte et disséminai des mégots dans les cendriers (alors que je ne fume pas), de manière à lui faire croire qu'un homme était venu chez nous. Nous eûmes quelques scènes de ménage homériques. Je fis néanmoins tout ce qui était en mon pouvoir pour améliorer la situation. Je me montrai tendre, le cajolai ; il promit de changer mais n'en fit rien, si bien que je déprimai de plus en plus.

C'était parfois si terrible que je ne sortais même plus du lit. Finalement, l'une de ses aventures devint plus sérieuse. Je fis mes valises, pris les enfants et m'en allai. Nous étions en été, et le calendrier scolaire facilitait les choses. Je m'étais installée à la campagne. Il vint finalement nous rejoindre après nous avoir longtemps cherchés. Mon frère avait vendu la mèche.

« Je n'oublierai jamais cette journée-là. Il entra dans la cuisine. Lorsqu'il regarda par la fenêtre et aperçut dans le jardin notre fille cadette sur la balançoire, il se mit à pleurer. Je trouvai cela incroyable ; j'étais abasourdie. De sa part, il s'agissait du premier signe de quelque sensibilité et d'une autre façade que celle d'un être froid, détaché. Nous avions des relations sexuelles satisfaisantes, mais nos relations affectives s'arrêtaient là. J'estimai alors que la sexualité était la seule voie par laquelle je pouvais arriver à percer le mur qu'il avait érigé autour de lui. C'était le seul moyen de communiquer avec cet homme. Je pensais qu'il était dénué de sentiments mais, cette journée-là, il avait l'air si malheureux que je me sentis remuée. Je ne suis pas femme à abandonner le navire. Je revins donc à la maison. Il ne s'agissait pas d'un geste purement émotif décidé lors d'une journée bucolique. Changea-t-il après cela ? Absolument pas, mais du moins je me disais qu'il le souhaitait sincèrement et je concevais une certaine pitié pour lui car, dans le fond, il n'avait aucune intention de se montrer aussi égoïste et distant qu'il l'était.

« Chaque fois que j'ai envie de tout quitter, je me souviens de cette journée à la campagne. J'ai décidé que mieux valait que mes enfants aient un père ne faisant que de brèves apparitions que de ne pas en avoir du tout. Je décidai donc de rester avec Hal et de m'occuper un peu plus de moi, ce qui se révéla plus facile, car les enfants grandissaient et nous étions très à l'aise. Maintenant, je fais des voyages et me paie à peu près tout ce que je veux. Il ne me demande jamais de comptes, mais je n'ai pas pris d'amant et n'en ai pas le moindre désir. La manière dont j'ai été élevée doit y être pour quelque chose, mais j'en suis très heureuse. Je fais du tennis, visite les musées, vais au restaurant, entretiens d'excellentes relations avec mes enfants et possède beaucoup d'amis.

« Je réalise qu'il ne peut rester longtemps avec sa famille. Pendant les vacances, il est toujours le premier à insister pour organiser de grands rassemblements familiaux. Une fois que tout le monde est là, il s'enferme dans son bureau et lit le journal. Il sait que nous sommes là s'il désire nous voir mais, dès qu'il s'attarde un peu, il devient nerveux. C'est ainsi qu'il est et il est mon mari. »

Quel genre d'homme est le phobique pour rendre les femmes ainsi malheureuses ?

Le plus surprenant avec cet homme, ce sont

les limites extrêmes auxquelles il peut se rendre pour ne pas avoir la sensation de se sentir piégé. Son malaise est souvent si pénible qu'il perd de vue le fait que sa femme est un être humain comme les autres. Lorsqu'il est tombé amoureux d'elle, il avait peut-être conscience de la personne qu'elle était. Pourtant, après son mariage, il se sent souvent si mal dans sa peau qu'il devient incapable d'une perception lucide. Cet homme se montre souvent sans pitié. Son combat pour se préserver espace et liberté dans le cadre d'une relation amoureuse dont il se sent prisonnier ressemble aux sursauts effrayants d'un animal retenu par les mâchoires d'un piège d'acier. Il s'agite vainement. Inutile de lui faire remarquer que sa femme a besoin d'affection comme tout être vivant et qu'elle l'aime certainement. Il est incapable de regarder la vérité en face. Dans sa tête, elle n'est qu'une geôlière et il le lui fait payer très cher.

Lorsqu'une femme a une relation avec un homme qui éprouve des difficultés à s'engager, elle s'imagine que quelque chose de magique surviendra après leur mariage, qu'il va se corriger et se calmer. Hélas ! l'effet contraire se produit. Un homme qui se sent prisonnier d'un monde clos et qui suffoque ne tient pas à se calmer. Il veut avant tout s'évader. Il lui est impossible d'envisager la situation avec sérénité et sa conduite envers sa conjointe (qu'il considère comme sa geôlière) est véritablement inqualifiable.

■ Il peut nier avoir une relation qui l'engage.

Un homme marié depuis des années affirmait à qui voulait l'entendre qu'il était célibataire, jusqu'au jour où sa femme demanda le divorce. C'est alors seulement qu'il commença à parler d'elle, ce qui choqua et étonna nombre de ses amis. J'avoue qu'il s'agit là d'un cas extrême, mais plusieurs phobiques agissent de manière similaire. Beaucoup affirment ne pas être mariés, surtout lorsqu'ils voyagent. D'autres, qui vivent une liaison de longue date, ne permettent pas à leur conjointe de s'immiscer dans certains secteurs de leur existence et ne disent à personne qu'ils ont une compagne.

■ Il agit comme si sa femme était véritablement une geôlière, sans aucune bienveillance pour elle.

Un phobique aime véritablement sa femme mais se montre paradoxalement hostile envers elle. En dépit de toute rationalité, il est convaincu que, d'une manière ou d'une autre, c'est elle la responsable de son inconfort. Impitoyable, il oscille entre des déclarations enflammées et des accès de cruauté verbale.

■ Il retrouve un air de liberté en utilisant une autre femme.

L'infidélité constitue une solution de facilité pour l'homme qui tient à se prouver qu'il n'est pas prisonnier de son mariage. Plusieurs de ceux qui passent leur temps à courir les jupons lorsqu'ils sont mariés se calment lorsqu'ils redeviennent célibataires. Mince consolation pour leur femme !

Le cas de Robert

Robert a été marié pendant presque dix ans. Au cours de ses années de mariage, il a utilisé presque toutes les armes des phobiques pour mettre sa femme à distance. Il est un de ces hommes qui désirent si désespérément prendre la fuite qu'ils ne savent pas trouver de sortie sans complètement démolir leur compagne. Robert est pourtant un homme sensible, un enseignant qui respecte les gens et a conscience de leurs humeurs et de leurs besoins. Il aime aussi les femmes, même la jeune fille qu'il a épousée et qui ne lui a jamais causé d'autre tort que de dire « oui » le jour de leur mariage.

Robert était dans la vingtaine lorsqu'il a épousé sa compagne déjà enceinte. Il est très lucide et honnête en parlant de lui. Il sait très bien qu'il a toujours fait preuve d'un enthousiasme très mitigé lorsqu'il s'agissait d'engagement :

> « Nous vivions plus ou moins ensemble depuis à peu près quatre ans lorsque Beth devint enceinte. Elle voulait l'enfant et j'étais trop jeune et trop peu sûr de moi pour l'arrêter. Mes sentiments de paternité étaient des plus ambivalents et, à dire vrai, l'idée de devenir père me terrifiait. Malgré tout, je demeurai près de mon amie lorsqu'elle accoucha et aimai l'enfant d'emblée. Je pense que je me suis marié par sens du devoir.
>
> « Je me souviens qu'après notre mariage, lorsque pour la première fois je présentai

Beth comme mon épouse, un sentiment cataclysmique m'envahit. Je ne le voulais pas, mais c'était comme si j'étais entré dans une petite pièce sombre, une boîte noire que je haïssais. Même si j'aimais ma femme ainsi que le bébé, la moitié de ma personne se sentait prise au piège, mise en cage... »

Beth fut la première maîtresse de Robert et il lui fut fidèle jusqu'après son mariage. Plusieurs des hommes que j'ai interrogés m'ont raconté qu'ils avaient eu un comportement assez semblable : fidèles jusqu'au mariage et grands infidèles après. Moins de six mois s'étaient écoulés depuis leur mariage lorsque Robert eut une première liaison, qui dura environ une semaine :

> « Ensuite, j'eus régulièrement d'autres aventures. Etant donné que mon travail me retenait la nuit, j'avais une excuse toute trouvée pour ne pas rentrer à la maison. Le fait de m'être engagé et marié avait changé la nature de la relation ; j'en voulais à Beth de ma dépendance. Plus je lui en voulais, plus elle était insécurisée et plus elle s'accrochait. Cela devint un cercle vicieux. »

Les femmes mariées à des hommes extrêmement destructeurs réagissent souvent en adoptant l'attitude dépendante d'un enfant. Dans le cas de Robert, ce problème se compliquait du fait qu'il était aussi dépendant de sa femme ; il ne voulait pas la quitter et n'avait pas envie qu'elle le chasse. C'est pourquoi il n'arrivait pas à lui avouer honnêtement ses actes et ses sentiments.

« Je ne voulais pas que mon mariage se désintègre, car je dépendais également d'elle. C'est pourquoi je ne lui parlais pas des autres femmes, mais je laissais traîner des indices afin qu'elle le devine. Elle ne savait trop comment prendre cela ; son attitude oscillait entre la colère et un semblant d'indifférence. Pour mon compte, j'alternais la négation de toute activité illicite avec l'exhibition d'indices de mes fredaines.

« De temps à autre, nous étions au bord de la séparation. Cela faillit arriver peu avant la naissance de notre troisième enfant. J'avais déjà trouvé un autre appartement. Je traitais mon mariage comme une sorte d'élastique que j'étirais au maximum pour prendre mes distances sans toutefois le rompre ; je voulais exprimer ma colère sans m'en aller. Nous fûmes si effrayés par la situation que nous nous mîmes à revivre ensemble. Nous étions deux jeunes gens terrifiés s'agrippant au même radeau de fortune pour ne pas sombrer. »

Robert fut le premier à admettre que son comportement se révéla très abrasif pour l'amour-propre de sa femme. Son malaise était si grand qu'il ne pouvait pas s'empêcher de s'acharner sur son épouse, qu'il considérait comme responsable de ses malheurs :

« Elle essaya de s'ajuster à la situation. Aucune femme ne pouvant faire cela de sang-froid, nous passions notre temps à nous quereller. Elle détestait me voir convoiter les autres femmes. Sa jalousie était bien fondée, car je m'envoyais des douzaines de filles. Je ne supportais pas son attitude dépendante ; je ne vois d'ailleurs pas ce qu'une jeune femme avec des enfants eût pu faire d'autre en de telles circonstances. Je lui disais des choses méprisantes et agissais comme un imbécile. J'étais l'être le plus structuré, le plus sûr de lui au monde. Je la prenais à partie et je lui jouais la comédie en soulevant avec elle des débats pseudo-intellectuels.

« Elle tenait à ce que notre mariage dure et moi je voulais le détruire. J'étais toujours avec d'autres femmes mais lorsque je me trouvais à un cheveu de me séparer je faisais une crise, décidais que j'avais besoin d'elle et, parfois, me mettais à pleurer.

« Malgré cela, nous n'avons jamais franchement abordé le problème. Je pense que nous avions tous deux trop peur de lui faire face. Elle me demandait simplement d'être à la maison avant le lever du jour. Alors je sortais avec d'autres femmes et rentrais aux petites heures du matin. Nous avions une scène et je m'excusais. Je lui racontais que j'allais changer, mais je ne savais pas ce que cela voulait dire ni comment y arriver. Je m'imaginais que cela signifiait que, d'une manière magique, j'arriverais à m'empêcher de faire ce qui me plaisait.

« Lorsque nous avons finalement décidé de nous séparer, nous étions tous deux épuisés par des années d'une union complètement démente. L'usure avait eu raison de nous. Nous nous mîmes d'accord pour que je me trouve un appartement. Cela prit deux semaines. Il est intéressant de noter que nos relations sexuelles s'améliorèrent considérablement au cours de ces deux semaines. Je ne me souviens pas exactement comment cela s'est terminé. Le plus difficile, bien sûr, fut d'expliquer tout cela aux enfants.

« Lorsque je quittai la maison, je me sentis d'abord mi-figue, mi-raisin, mais j'avais une extraordinaire impression de liberté. Je me souviens avoir eu le sentiment d'échapper à quelque chose, comme si on m'avait laissé sortir d'une cage. J'étais heureux de ne plus avoir à donner d'explications, de ne pas avoir à rentrer à la maison. Puis, quelques semaines plus tard, mon cœur changea de cap une fois de plus. J'étais déprimé et essayai de replâtrer mon mariage en glissant mon pied dans la porte à la façon des colporteurs. Je me hasardai à dire à ma femme : "Tu sais, nous devrions peut-être reprendre la vie commune ; peut-être pourrions-nous recommencer à nous voir ?" Fort heureusement, elle ne voulut rien entendre.

« J'ai toujours été une sorte de vagabond, non seulement sur le plan sexuel mais dans tout. Il me faut souvent changer d'emploi, d'adresse. En effet, je déménage beaucoup et n'aime pas l'idée de me sentir retenu dans un seul endroit. Au lieu de m'inciter à me fixer, le mariage intensifiait mes besoins d'errance. »

On s'attendrait que le phobique fût aussi peu fiable avec ses enfants qu'il l'est avec sa femme. Curieusement, ce n'est pas le cas. Même si la plupart des hommes que j'ai interrogés semblaient terrifiés à la seule idée de devenir pères, ceux qui l'étaient n'étaient pas moins dévoués que les pères normaux. Dans certains cas, ils se consacrent au bien-être de leurs enfants et s'engagent pleinement envers eux. De leur point de vue, il faut admettre que les enfants grandissent et quittent un jour la maison, ce que ne font pas les femmes…

6

La peur d'aimer: une infirmité du cœur

Le cas de Philip

Il me semble qu'un phobique de l'engagement exemplaire ressemblerait beaucoup à Philip.

Il ne s'est jamais marié. Cependant, l'idée d'un engagement permanent le hante intensément et il s'attriste de ne pas en être capable. Il semble pourtant impuissant à modifier ses habitudes. Parmi les raisons qui l'ont poussé à accepter de me parler se trouvait cette sensation de profonde lassitude où il en est arrivé. Dans le cours de la conversation, il m'a avoué que si je l'avais approché deux ans auparavant, il n'aurait été ni capable ni prêt à discuter ouvertement de sa situation. Il est suffisamment mûr pour savoir qu'il ne peut blâmer que lui-même pour ses erreurs. Il sait fort bien qu'il a été l'unique artisan de l'ascension et de la chute de la majorité de ses aventures. En lui parlant, je sentais que ce sujet était douloureux à évoquer, car il était profondément secoué par ce qu'il avait fait de sa vie.

A 43 ans, ce photographe s'est acquis une réputation qui dépasse les frontières de son pays. Son pied-à-terre est à Boulder, au Colorado, mais lorsqu'il se déplace on le retrouve aux quatre coins du monde. Il est attirant, structuré, intelligent, sensible, et il a bien réussi. Il est en somme l'homme rêvé. Philip sait fort bien qu'il plaît aux femmes. Il pense que son charme réside dans le fait qu'il leur prête une oreille complaisante et qu'il aime parler avec elles de sujets qui les intéressent, notamment de sentiments et de relations. Cette attitude peut paraître fort prometteuse mais, pour la femme candide qui se laisse prendre au jeu d'un tel homme, le rêve ne tarde pas à se transformer en cauchemar.

Philip s'est fiancé deux fois, mais ne s'est jamais marié. La liaison la plus longue qu'il ait connue a duré quatre ans et s'est mal terminée. Ses échecs sentimentaux le perturbent sincèrement et le laissent abattu. Il n'a pas l'intention de causer de peine à qui que ce soit et a passé beaucoup de temps à se demander pourquoi il décroche constamment lorsqu'il s'agit de s'engager. Il admet volontiers qu'il a exagéré à ce sujet et qu'il serait impossible de qualifier de raisonnables les relations qu'il entretient avec les femmes :

> « Je suis sorti avec trop de femmes ; j'ai couché avec trop de femmes ; j'ai déçu trop de femmes. Il y a environ deux ans, j'ai fréquenté une femme qui était gênée de

m'avouer qu'clle avait été mariée quatre fois. Cela me choqua de prime abord mais, en y pensant bien, je dus admettre qu'au moins elle avait essayé. Pensez donc... Elle avait entretenu quatre relations en 15 ans et avait tenté de les faire fonctionner. J'ai eu des centaines d'aventures, je n'ai jamais essayé d'aller plus loin, et je ne me souviens même pas du nom d'un très grand nombre de mes maîtresses... »

Comme de nombreux phobiques de l'engagement, Philip idéalise le mariage. Il voudrait sans nul doute se marier, mais ne peut pas vraiment imaginer ce que cela signifie :

« J'imagine mon avenir de manière fantaisiste. Je me vois marié, heureux, déjà grand-père, menant une vie paisible. La réalité est tout autre, car je n'ai pas la moindre idée de ce que cela représente.

« Je n'ai pas la richesse et la qualité de vie que je devrais avoir. Je pensais que je serais un bon partenaire, mais je commence à me demander si je peux y parvenir puisque je suis incapable de choisir la bonne personne ou de m'engager dans un choix intelligent.

« Je choisis les femmes qui me tombent facilement dans les bras parce que, au début, ça me flatte, mais à la fin cela m'irrite et je m'en vais. Je choisis des femmes qui n'ont pas vraiment d'emploi, qui sont excessivement dépendantes. J'aimerais une femme capable de se tenir debout toute seule, qui puisse prendre des décisions, que je puisse respecter. »

L'aversion que Philip porte à tout type d'engagement empoisonne d'autres secteurs de son existence. Par exemple, il n'écrit jamais au stylo dans son agenda, mais toujours au crayon. Il déteste s'engager par écrit et évite de faire des lettres. Il estime qu'il se laisse facilement distraire et, comme beaucoup de phobiques de l'engagement, éprouve des difficultés lorsqu'il s'agit de faire quelque achat important comme une voiture, une maison ou des appareils ménagers. Il lui faut des semaines pour se décider et, à la fin, cela le dérange tellement qu'il achète n'importe quoi et fait souvent le mauvais choix.

Il hésite également à se fixer à une adresse et a déménagé une quarantaine de fois au cours de sa vie adulte :

> « Mon style de vie a toujours consisté à ne pas savoir d'avance ce que j'allais faire et où j'allais me trouver le lendemain. Il faut que je me sente libre. »

Philip fait un travail des plus intéressants. Il se spécialise dans la photo d'animaux sauvages et voyage beaucoup. Il ne prémédite jamais longuement quelle destination il va prendre. Même si son emploi du temps est relativement souple, il est réputé pour sa fiabilité professionnelle. Il se targue de ne jamais manquer un délai auprès de ses éditeurs, mais ses occupations comportent tant de variables qu'il ne se sent pas attaché ou piégé.

C'est loin d'être le cas dans sa vie privée. Comme il me l'a confirmé, pour des raisons qu'il est incapable d'expliquer, il hésite à faire des projets et ses parents et amis considèrent qu'on ne peut pas compter sur lui :

> « J'ai la réputation de faire faux bond. Dès que je promets d'entreprendre quelque chose avec quelqu'un, cela m'angoisse. Par exemple, je me suis récemment engagé auprès d'un de mes oncles à le conduire à quelque anniversaire familial. J'aime beaucoup cet oncle et je voudrais pouvoir donner suite à ma promesse, mais cela m'est très pénible. Tous ceux qui me connaissent le savent bien. J'ai beau essayer de penser à ces événements familiaux comme s'il s'agissait de rendez-vous d'affaires, je n'y arrive pas... Le contexte est trop différent. »

Avec les femmes, la façon de procéder de Philip a changé au cours des dernières années. Lorsqu'il était plus jeune, il s'amusait à leur faire la traditionnelle cour effrénée.

> « Il n'y a pas encore si longtemps, lorsque je rencontrais quelqu'un que j'aimais, je faisais des pieds et des mains dans une sorte d'engouement un peu fou. Je lui accordais une grande attention, l'appelais souvent, la couvrais de fleurs et de cadeaux. Cela durait une semaine environ, puis la réalité s'installait et je commençais à faire de la manipulation subtile pour me détacher progressivement. Je me retirais, devenais inaccessible et non dis-

ponible. Certaines femmes ont très mal réagi. L'une d'entre elles a même lancé une brique dans ma fenêtre.

« Cela peut sembler curieux, mais même lorsque j'ai l'intention de courtiser une femme, j'évite toujours de lui donner mon numéro de téléphone. Je n'ai jamais eu de répondeur et il est difficile de me joindre. Le studio où je travaille est sans téléphone. Ceux qui me cherchent savent où me trouver ; je ne veux pas d'appels importuns.

« Ces temps derniers, j'ai tendance à ne pas demander à mes flirts leur numéro de téléphone. Je leur donne rendez-vous dans un endroit bien identifié, comme un bistro ou un bar, souvent là où nous nous sommes rencontrés la première fois. J'ai ainsi le temps de décider si j'y vais ou si je me défile. »

Philip avoue qu'il a déjà été le champion de la « couchaillerie » effrénée et plutôt triste, mais qu'il a changé. Il sait toutefois fort bien que même s'il s'est calmé avec l'âge, il n'agit certainement pas comme un homme qui veut se marier dans un futur proche :

« Aujourd'hui, même si je pense qu'il n'y aura rien de plus sérieux que la traditionnelle partie de jambes en l'air, j'essaie de ne pas faire l'amour d'emblée. C'est vrai que je recherche une compagne pour l'avenir, mais je dois admettre qu'aucune jamais ne me convient. Tout cela fausse les rapports. »

Philip concède qu'il mène une vie plus heureuse et mieux remplie que bien des gens, mais il est déçu de lui-même et de son incapacité de construire une relation amoureuse durable :

> « Il y a un an, j'ai fait une chose horrible. J'ai rencontré une femme à qui j'ai donné plusieurs rendez-vous et j'en suis tombé amoureux. J'ai rencontré ses enfants, un garçon et une fille auxquels je me suis attaché. J'avais en somme une famille instantanée. J'emmenais les mioches au zoo, dans les jardins publics, à la campagne. Ils m'adoraient et m'envoyaient même des cartes pour la fête des Pères. Moi aussi, je les aimais. Je me disais : "Cette famille-là, je la veux ; pour une fois, je veux m'engager." Alors, évidemment, je demandai mon amie en mariage. J'étais au septième ciel, plus heureux que je ne l'avais jamais été dans ma vie. L'idée de m'occuper d'une famille enflammait mon imagination. Je pensais que tout cela me motiverait à me fixer, à travailler plus fort pour gagner plus d'argent. Lorsque je l'ai rencontrée, tout était provisoire dans ma vie. Je ne possédais ni maison ni voiture. En un tournemain, je pris soin de tous ces détails ; mon comptable pensait que j'étais devenu fou. Je n'avais jamais pris d'engagement aupa-

ravant et tout cela me grisait. J'étais comme intoxiqué... »

Quelques jours après avoir fait sa demande en mariage et s'être lancé dans des dépenses exagérées, l'alarme se déclencha chez Philip et, dès ce moment, il ne pensa plus qu'à une chose : décrocher. Rendu là, il n'y avait plus rien que la fiancée de Philip puisse faire pour l'empêcher de fuir. Il ne voulait plus discuter, ne voulait pas faire d'efforts pour sauver leur union, ne voulait pas perdre de temps à faire quoi que ce soit, sinon prendre le large.

« D'un seul coup, je fus dégrisé. Je voyais tout ce qui n'allait pas chez cette femme. J'avais l'impression de ne pas pouvoir compter sur elle. Oh ! je pouvais certainement compter sur sa loyauté et sur son amour, mais je ne pouvais pas l'approcher avec un problème, ne pouvais pas dépendre de son jugement. Lorsque quelque chose n'allait pas, elle courait chez son astrologue. J'étais déprimé, car je savais très bien que je n'avais pas le droit de la vouloir autrement qu'elle était. Elle travaillait comme réceptionniste intérimaire et n'avait jamais eu à être vraiment autonome. Je me demandais comment j'avais pu me montrer aussi stupide et dus avouer aux amis que j'avais commis une erreur. Je tentai de rompre sans histoires. J'essayai de lui expliquer tout ça, mais elle ne voulait rien entendre, elle ne me croyait même pas. Et comment aurait-elle pu me croire ? Seulement quelques semaines plus tôt, j'avais agi comme si ses enfants et elle étaient toute ma vie. Cela fit du vilain. Elle essaya de me joindre à toute heure. Elle me demandait comment je pouvais l'avoir incitée à changer toute son existence sans penser plus loin que le bout de mon nez. Elle faisait des colères et était bien décidée à ne pas me laisser filer ainsi. Elle téléphonait, m'envoyait des lettres, me suppliait, quémandait mon amour. Elle refusait d'accepter mes explications. Je décidai de ne pas donner suite à ses suppliques, m'abstins de répondre à ses appels et à ses lettres. Finalement, cela s'est cassé... »

L'histoire de Philip et de son mariage mort-né est le meilleur exemple qu'on puisse donner d'une virulente phobie de l'engagement. Curieusement, si vous aviez entendu la même histoire racontée du point de vue de la femme, votre première réaction aurait été de vous demander ce qu'*elle* avait bien pu faire de mal pour mériter un tel traitement. De l'aveu même de Philip, elle n'avait absolument rien fait de répréhensible. Philip était seul responsable. Il le disait lui-même, elle s'était bien gardée de le pousser à l'épouser :

« Après cette malheureuse relation, je suis devenu peureux. Je me sentais comme si l'on m'avait bandé les yeux, placé devant un peloton d'exécution, puis libéré à la dernière minute. Je pense que cette expérience me fit persévérer encore plus fort dans mon refus de m'engager le moindrement. Je m'étais montré minable lorsque j'avais essayé. Lorsque j'avais demandé à cette femme de m'épouser, rien ne m'y forçait, personne ne m'avait influencé et elle fut enchantée mais surprise. J'étais seul responsable de mes actes et je ne pouvais que faire mon *mea culpa.*»

On pourrait en déduire que ce désir d'assumer le blâme pour ce fiasco indique que, pour Philip, il s'agissait là d'une sorte d'apprentissage. Pourtant, en discutant un peu plus avec lui j'ai découvert que ce n'était pas la première fois qu'il reculait devant le précipice de l'engagement :

« Il y a environ dix ans, je demandai en mariage une femme avec qui je vivais. Elle était adorable et se moquait de ma manière de ne pas prendre d'engagement en me disant toujours que, pour moi, le mot qui commençait par un M devait comporter d'horribles connotations. Eh bien ! un soir, dans un moment de faiblesse et de passion, je lui fis ma demande et, tandis que je lui parlais, je sentais que je m'enlisais dans un odieux mensonge, une parodie. Oui, c'était vraiment étrange. Nous fixâmes la date de la cérémonie et envoyâmes des invitations. Nous étions fiancés ! J'étais très fier d'avoir pu enfin m'engager. Puis on m'offrit un contrat qui perturbait quelque peu ces beaux projets. Je m'empressai d'accepter et annulai le mariage. Je ne sais trop comment, mais nous n'avons jamais fixé de nouvelle date pour les noces. Dès que je lui eus proposé de m'épouser, je commençai à remarquer chez elle certaines imperfections qui me dérangeaient. Ces traits de caractère existaient déjà mais je m'en fichais. Un soir, après que je fus rentré tard du studio, elle fit quelque chose qui me mit hors de moi. Ce n'était pourtant rien de très différent de ce qu'elle avait pu faire avant. Elle n'avait pas changé. C'est ma perception de ma compagne qui avait changé. D'un seul coup, j'en avais soupé d'elle. Alors, je la plaquai. Et voilà... »

Philip m'a confié que, lorsqu'il était plus jeune, deux autres femmes ont compté dans sa vie. Il aurait pu être heureux avec elles, mais il les avait toutes deux abandonnées car il n'était pas question qu'il s'engage :

« Il est horrible de constater combien il m'est facile de m'en aller et de renier tous mes sentiments du jour au lendemain. Cela m'est arrivé plusieurs fois et, chaque fois, ma compagne se trouve complètement prise au dépourvu. »

Imaginons un restaurant à l'éclairage discret, situé dans une station de ski. Des bûches pétillent dans la cheminée et le pianiste du bar jour du Gershwin. La saison ne fait que commencer et il n'y a pas foule. C'est dans ce décor engageant que, l'autre soir, Philip a fait la connaissance d'une femme attirante, intelligente et responsable. Elle semblait posséder toutes les qualités qui avaient manqué chez ses anciennes et fugitives flammes :

« Nous avons parlé pendant des heures de tout et de rien — de la vie, des relations interpersonnelles, de l'amour. Elle venait d'une autre ville et demeurait chez des amis. Elle hésita à me donner son numéro de téléphone et me demanda de lui donner le mien. Je refusai, car je n'y tenais absolument pas. Elle me déclara que, le lendemain, elle serait dans un certain restaurant avec des amis et que, si je le désirais, je pourrais l'y rencontrer. Je ne me rendis pas à ce rendez-vous. Le fantasme suffisait. Je ne voulais pas qu'il aille plus loin. »

Philip estime toutefois qu'il est en train de changer et le fait qu'il ait récemment acheté une maison et une voiture constitue pour lui une démarche positive :

« Ce fut difficile pour moi d'acheter une voiture, car il existe une foule de marques. Je suis cependant décidé à ne plus hésiter ni à regarder toutes les cinq minutes par-dessus mon épaule pour voir si j'ai fait le bon choix. Pour la première fois, j'ai fait inscrire mon adresse sur mon permis de conduire, ce qui aurait été impensable auparavant. Je poserai un jalon important lorsque j'oserai enfin placer mon nom sur une boîte aux lettres. Cela voudra dire que j'ai pris l'engagement de demeurer à la même adresse. »

Il est facile de voir comment une femme qui rencontre Philip pour la première fois risque de se trouver attirée vers lui. Cependant, malgré son indéniable sincérité, il est également facile de voir que quelque chose l'empêche de s'engager, de se fixer à une adresse, de s'attacher à une personne ou à un objet, même pour un bref laps de temps, et il serait bien téméraire pour quiconque de penser qu'il agira différemment.

Le cas de Gary

Lorsque j'ai rencontré Gary, il s'apprêtait à se rendre à son troisième rendez-vous avec Janet, une jeune femme rencontrée une semaine plus tôt. Depuis qu'il est sorti de l'université, Gary calcule qu'il a dû rencontrer quelque 600 femmes chez des amis.

Les statistiques que Gary compile à ce propos indiquent qu'il tient à garder ses distances. En faisant la connaissance d'étrangères par l'intermédiaire de copains plutôt que par les canaux sociaux habituels (travail, études, relations), Gary est certain de ne pas avoir à les croiser à nouveau lorsqu'il en est lassé, ce qui ne tarde jamais à survenir.

Etant donné qu'il prétendait être un homme très affairé, je rencontrai Gary à son appartement puis nous poursuivîmes la conversation dans sa voiture, alors qu'il se rendait précisément voir sa plus récente connaissance féminine. Gary m'expliqua qu'il avait emménagé là depuis deux ans. Le seul ameublement consistait en deux sofas encore emballés comme s'ils sortaient de la fabrique. Il m'expliqua qu'il les avait achetés quelques mois auparavant, qu'il pensait les renvoyer au magasin et que, par conséquent, il se gardait de les déballer.

Janet, son nouveau flirt, fêtait ses 28 ans ce jour-là et il avait prévu pour elle une soirée d'anniversaire très spéciale. Il devait d'abord l'emmener souper dans un restaurant très chic. Comme il traitait affaires avec le propriétaire d'un théâtre, il avait reçu deux billets de faveur pour une comédie musicale à succès, à laquelle, après, il allait emmener Janet. Pendant que je l'attendais chez lui, je l'entendis téléphoner au directeur de la troupe afin de lui demander que les artistes lui fassent le plaisir de chanter le traditionnel « Joyeux anniversaire » en l'honneur de Janet. Gary pensait qu'elle apprécierait ce geste délicat. Témoin de tous ces préparatifs, j'en conclus que Janet devait être une amie vraiment spéciale pour Gary. Je lui en fis la remarque, mais il me regarda comme si j'étais fou et me répondit qu'il la connaissait à peine.

Gary sort presque tous les soirs et estime qu'il a dû fréquenter une cinquantaine de femmes au cours de l'année écoulée. Il m'a raconté qu'il peut juger une femme dès le premier coup de fil :

> « Par exemple, il faut se méfier de celles qui ont une belle personnalité téléphonique, car on peut être amèrement déçu. Il y en a qui semblent formidables au téléphone mais, dès que vous les rencontrez, ce n'est plus la même chanson. C'est pourquoi j'entretiens un minimum de contacts téléphoniques avant de les rencontrer, car je ne tiens pas à être déçu. »

Gary est sorti avec tant de femmes qu'il trouve difficile de se souvenir d'elles. Il aime à raconter que, parfois, il souhaiterait dresser un inventaire de ses rencontres.

Il n'a jamais vraiment eu de liaison monogame, même s'il a connu de brèves périodes où il ne faisait l'amour qu'avec une seule partenaire. Il est toujours à l'affût de nouveaux rendez-vous galants et ne cesse de chercher on ne sait trop quoi ou qui au juste.

Gary n'a jamais dit à une femme qu'il l'aimait, mais a fait une demande en mariage à une amie qu'il décrit comme étant « l'amour de sa vie ». Il s'agit de Sharon, une ancienne copine de collège qu'il a continué à voir après avoir décroché son diplôme. Ils sont sortis ensemble de façon sporadique pendant quatre ou cinq ans mais, qu'on ne s'y trompe point, durant ce temps, ils n'ont guère eu de rapports sexuels plus d'une demi-douzaine de fois parce que, selon Gary, Sharon était une personne « difficile » qui ne voulait pas de lui. Elle avait aussi sa part de problèmes. C'était une enfant gâtée et elle se droguait, une habitude dont Gary pensait qu'elle se débarrasserait, ce qui ne se produisit jamais. Gary n'ayant jamais touché aux stupéfiants, il ne pouvait imaginer, lorsqu'il a demandé Sharon en mariage, la dépendance psychologique et physique que ceux-ci peuvent occasionner.

Gary m'a expliqué qu'il avait l'habitude de raconter de petits mensonges à ses conquêtes, mais qu'il essaie maintenant de se montrer honnête. Il essaie aussi de demeurer en bons termes avec ses brèves rencontres et conserve un remarquable palmarès à ce chapitre, même si quelques-unes sont fâchées parce qu'elles entretenaient de vaines espérances.

Jusqu'à récemment, Gary n'a jamais passé une nuit entière dans l'appartement d'une femme et n'a jamais permis à aucune d'entre elles de faire la même chose chez lui.

> «Je ne veux pas leur donner l'illusion que je suis sérieux. C'est pourquoi je me fais un point d'honneur de m'en aller après nos ébats, même s'il est 3 heures du matin et que je suis épuisé. Maintenant, je mets cartes sur table. Certaines femmes ont essayé de me culpabiliser parce que je n'ai pas réagi de la manière qu'elles espéraient, mais je ne me sens pas responsable pour autant.»

L'an dernier, Gary a eu un sérieux coup de foudre. Il dit qu'il ne s'y attendait pas parce que sa compagne vit dans un autre Etat. Comme il s'agissait de la première relation sérieuse que Gary vivait depuis dix ans, on peut soupçonner que la seule raison pour laquelle elle a pu se produire est précisément que la jeune femme vivait loin et que la distance offrait une zone tampon confortable. Même s'il lui fallait deux heures d'avion pour rencontrer son amie, cela n'empêcha pas la relation d'atteindre le fatidique seuil critique:

> «A la fin, nous passions nos week-ends à voyager. Un soir où nous nous trouvions à la maison de campagne de mes parents qui s'étaient absentés, nous avons fait l'amour, mais je ne pus trouver le som-

meil. Allison m'avait parlé de mariage. Elle avait deux ans de plus que moi et se faisait du mauvais sang sur sa capacité d'avoir des enfants. L'insomnie me gagna et j'angoissai. Je fus pris de palpitations et commençai à transpirer abondamment. A l'époque, je ne savais pas ce que c'était au juste. Une semaine passa et la situation ne s'améliora guère. Mon cœur battait constamment la chamade et je commençai à perdre du poids. Je fus pris de frayeur et, finalement, m'en allai consulter mon médecin.

« Il me soumit à une batterie de tests, mais ne put rien trouver. Puis il se souvint d'un incident que j'avais oublié, quelque chose de similaire qui m'était arrivé au collège lorsque j'étais tombé sérieusement amoureux d'une fille.

« J'étais sans nul doute entiché d'Allison, car elle était formidable, mais lorsque je fus assailli par tous ces malaises au point de ne plus pouvoir manger, ce fut le signal de mettre un terme à notre relation. Je me sentis tout de suite mieux. »

Gary s'est récemment rendu en Californie, où il est resté une semaine. Avant d'arriver, il a appelé quelques relations d'affaires à qui il a dit qu'il aimerait rencontrer des femmes. Arrivé le dimanche, il a passé le lundi avec Lisa à Disneyland. Gary déclara qu'il s'agissait d'une personne « très gentille » avec qui il avait passé « une journée mémorable ». Il estimait qu'elle pouvait beaucoup lui apporter, mais avait décidé que rien n'allait arriver. Le mardi soir, il avait rendez-vous avec Sally, qu'il trouva très jolie. Il l'emmena souper dans un bon restaurant, puis à un spectacle. Ils achetèrent une bouteille de vin et se rendirent chez elle. Ils avaient commencé à flirter lorsqu'elle parla d'une espèce de désaxé qui faisait irruption dans les appartements des femmes célibataires pour assassiner leurs amis. Cette histoire le refroidit et il rentra chez lui, non sans demander à sa rencontre d'un soir de le revoir, mais « de préférence pas dans le sud de la Californie ». Le mercredi, il avait rendez-vous avec Renée, si bien qu'il ne put voir Sally. Il appela cette dernière, mais se garda de lui avouer qu'il avait pris un autre rendez-vous. Elle lui raconta que, dans quelques mois, elle comptait se rendre dans l'est des Etats-Unis et que, peut-être, ils pourraient se voir. Renée, la troisième jeune femme rencontrée, était « mignonne », mais il ne l'aimait pas autant que Sally. Il comptait les revoir toutes deux mais, le jour suivant, décida de se rendre à San Diego, où il rencontra Gwen, une quatrième femme, avec qui il passa la journée.

Lorsqu'il rentra à son hôtel, il trouva une carte de Sally lui disant qu'elle espérait réellement être en mesure de le revoir bientôt. Il la rappela avant de partir pour lui confirmer qu'il reviendrait bientôt en Californie et qu'il tâcherait de passer encore quelques bons moments avec elle, sinon ce ne serait que partie remise et ils se retrouveraient à Boston, pendant les vacances. Il téléphona aussi à

Renée, ainsi qu'à Gwen, la fille de San Diego, et leur raconta qu'il reviendrait peut-être à Los Angeles. Il ne rappela pas Lisa, sa première rencontre, même s'il admet avoir passé une merveilleuse journée à Disneyland et qu'il estimait qu'avec elle, « il y avait quelque chose de sérieux à faire dans la vie... ».

En matière de rendez-vous, Gary applique une politique en cinq étapes — cinq rencontres :

PREMIÈRE RENCONTRE : Un verre, un casse-croûte, un *brunch*, un court moment passé ensemble.
DEUXIÈME RENCONTRE : Dîner et *flirt* poussé.
TROISIÈME RENCONTRE : Dîner, cinéma ou spectacle, retour à l'appartement, *flirt* poussé.
QUATRIÈME RENCONTRE : Cinéma, retour à l'appartement avec une bouteille. Allez, hop ! au lit.
CINQUIÈME RENCONTRE : Jour J. Visite au musée, au zoo, etc. Evaluation de la situation ; Gary décide s'il redemande à sa partenaire de sortir ou s'il l'abandonne à elle-même.

Il peut sembler étrange de constater que Gary ait besoin de rencontrer cinq fois une femme pour décider s'il va ou non donner suite. Voici comment il l'explique :

> « Si l'on désire coucher avec une fille, il faut bien la rencontrer quelques fois, n'est-ce pas ? Il faut aussi faire l'amour avec elle, ne serait-ce que pour savoir si l'on désire recommencer. Souvent, ce n'est pas quelque mystérieuse alchimie qui vous pousse dans son lit. C'est plus simplement

> un défi. Dans la majorité des cas, dès que cela est arrivé, je ne tiens pas à récidiver, mais comment pourrais-je savoir s'il s'agit de la femme de ma vie si je ne sors pas avec elle quelque temps? Voilà pourquoi j'ai mis au point la méthode des cinq rencontres. »

Il est difficile d'acculer Gary au pied du mur. C'est pourquoi j'ai fini par me retrouver dans sa voiture alors qu'il se rendait à la rencontre de son nouveau *flirt*. Comme on peut l'imaginer, rien qu'en regardant le genre de vie sociale qu'il mène, il n'a pas grand temps à lui. Même s'il clame à qui veut l'entendre qu'il veut un jour se marier et mener une vie de bon père de famille, il avoue qu'il existe très peu de possibilités pour que cela se réalise dans un proche avenir:

> « Lorsque je regarde mes copains mariés, avec leurs bébés, leur maison, leurs réunions parents-maîtres, leurs comités, leurs voitures familiales, je n'y comprends rien. Ils fréquentent des gens qui leur ressemblent et ça me rase. Oui, c'est bien ça: ils me rasent! »

J'ai rappelé Gary un mois après notre entrevue en auto et lui ai demandé ce qui était arrivé à Janet, la jeune femme avec laquelle il se préparait à sortir ce soir-là et pour laquelle il avait mobilisé une troupe entière de comédiens pour lui chanter « Joyeux anniversaire ».

Tout d'abord, il ne put se souvenir de qui je parlais puis, lorsque la mémoire lui revint, il m'avoua qu'il ne lui avait jamais redemandé de sortir :

> « J'ai décidé que je ne l'aimais pas plus que ça. Ce fut une belle soirée, toutefois, qu'elle a bien appréciée. Un de mes copains, un fleuriste, m'avait procuré une douzaine de roses rouges au rabais. Elle a bien apprécié aussi. »

Gary raconte à toutes les filles qu'il drague que son plus cher désir est de trouver la perle rare prête à se fixer et à fonder une famille, mais lorsque l'on regarde son passé, il est difficile de le prendre au sérieux. Il semble cependant que Gary ne passe pas suffisamment de temps avec ses *flirts* pour leur infliger de sérieux dommages. J'ai en effet l'impression que les femmes qui se frottent à ce papillon émergent plus perplexes que blessées de leur expérience.

Le cas de Mark

Mark est probablement un spécimen très dangereux pour les femmes à cause de son air parfaitement inoffensif. Si, de prime abord, on croit ce qu'il raconte, on pense avoir affaire à un pauvre homme écrasé de solitude qui recherche l'amour et le mariage avec l'énergie du désespoir. Sa vulnérabilité apparente pousse les femmes à renier père et mère pour sécuriser le misérable esseulé. C'est faire une erreur, car dès que Mark s'aperçoit que sa partenaire cherche à le faire quelque peu s'engager, il réagit en faisant tout ce qui est en son pouvoir pour saboter la relation.

Lorsque le présent ouvrage n'en était encore qu'au stade de projet, je ne pouvais m'empêcher de parler de mes recherches. Un soir où je m'entretenais avec des amis, une dame m'approcha et voulut me présenter à son ami Mark. Elle connaissait Mark depuis de longues années et me confia qu'il amorçait toujours la conversation en disant combien sa solitude était grande et en exprimant le désir de s'engager sérieusement. Mon interlocutrice m'expliqua cependant que tous les amis de Mark commençaient à trouver sa sincérité plus que discutable. En effet, il racontait à ses amis et connaissances que jamais il n'accepterait de se marier avec une fille qui ne soit pas de culture hébraïque. Or, tout le monde savait que Mark n'était *jamais* sorti avec une juive !

Mark, qui a 35 ans, a toujours vécu dans des villes où l'on trouve de fortes communautés juives et la dame se demandait comment Mark avait pu faire pour ne jamais avoir flirté avec une personne de cette origine. Cette amie fit remarquer que Mark était un brillant sujet, qu'il avait fréquenté l'une des meilleures universités américaines et qu'on l'estimait bourré de talent. En fait, tout le monde s'attendait qu'il fasse un malheur dans le domaine des arts plastiques.

Je téléphonai donc à Mark, qui accepta de me voir. Grand, musclé, doté d'un corps presque aussi souple que son esprit, il me reçut dans son coquet appartement, un logement spacieux et bien éclairé, mais dont l'installation semblait provisoire. Il me précisa qu'il ne savait pas combien de temps il allait demeurer à cette adresse. Il fit de grands gestes en me montrant son domicile et ajouta : « Il y manque une présence féminine, ne trouvez-vous pas ? »

Je fus surpris par l'abondance de photographies sur les murs. Sur presque toutes les photos on voyait deux petites filles que Mark m'expliqua être ses nièces. On y voyait également Mark en train de donner quelque nourriture aux phoques, en train de présenter un gâteau d'anniversaire aux enfants. Partout, il souriait d'un air heureux. Une femme entrant dans cet appartement ne manquerait pas de déduire que cet homme était un bon papa en puissance qui cherchait quelqu'un pour fonder une famille et avoir des enfants beaux comme ses nièces. Les autres photos représentaient Mark en compagnie de copains d'université. Sur son bureau, bien en évidence, se trouvait une photo de femme, celle de Jane, la dernière amie du maître de céans.

Je me suis beaucoup amusé à interroger Mark, qui savait se montrer constamment drôle et incisif. Tout comme ses amis, il était pleinement conscient qu'entre ce qu'il disait et ce qu'il faisait existait tout un monde. Malgré qu'il prétende désirer se marier, il possède une technique très efficace pour se protéger de tout engagement : il lui suffit de ne jamais sortir avec des femmes qui semblent afficher un certain désir de voir leur partenaire s'engager et, de plus, de ne jamais poursuivre une relation lorsqu'elle franchit le seuil critique.

La semaine où je le vis, Mark prenait temporairement soin des deux chats du voisin parti en voyage. Il me mentionna que ses réactions aux chats indiquaient le conflit dont il était l'objet. Il se sentait malheureux de se voir assigner un emploi du temps régulier, mais en contrepartie il était heureux que les chats lui tiennent compagnie. Il me précisa qu'il serait incapable de s'occuper ainsi d'animaux à longueur d'année et que c'est pour cela qu'il n'en avait pas. Il trouvait déjà difficile de soigner quelques plantes, qu'il se vantait de tenir « dans un état de terreur permanente ».

Nous commençâmes à parler de son travail. Enseignant estimé, il s'empressa de me faire remarquer qu'il n'était pas réellement professeur d'art plastique, mais qu'il s'adonnait à cette occupation en attendant de savoir ce qu'il désirait vraiment dans la vie :

> « Mentalement, ce n'est pas vraiment mon occupation car elle ne m'offre aucun défi, mais je trouve difficile de me concentrer ou de m'engager dans quelque chose d'autre, y compris mon propre travail. Tout est provisoire. Je saute du coq à l'âne et j'espère simplement trouver ce qui va me permettre dc battre le rassemblement de toutes mes possibilités, qu'il s'agisse d'une carrière ou d'une épouse... »

Il ne se fit pas prier pour reconnaître que sa peur de tout engagement empoisonnait sa vie :

> « Cette angoisse constitue le point de focalisation de toute mon existence. J'y pense constamment, et ce n'est pas seule-

ment en rapport avec les femmes. C'est pour tout. Ainsi, voilà trois ans, je voulus me procurer un ordinateur. Comme toujours, je fis le tour des marchands spécialisés et ne pus me décider. Je me demandais si un nouveau modèle ne viendrait pas supplanter subitement les modèles existants, si le prix des appareils n'allait pas chuter l'an prochain, etc. Bref, j'étais dans l'impossibilité de prendre une décision et décidai donc de louer un ordinateur. Trois ans plus tard, j'en suis toujours au même point. J'ai dépensé trois fois le prix d'un appareil neuf pour l'utilisation d'un ordinateur de qualité nettement inférieure à celui dont j'aurais eu vraiment besoin. Alors je me suis précipité dans un magasin d'informatique pour acheter un modèle de bas de gamme. Malheureusement, il ne possède toujours pas les fonctions nécessaires à mon travail. Alors, je me suis remis en quête de l'appareil idéal et suis toujours en train de comparer les différentes marques. »

La solitude constitue le leitmotiv de sa conversation. Il dit volontiers qu'il ne peut s'imaginer vivre le restant de ses jours sans s'engager de façon permanente. Il raconte volontiers qu'il n'a entretenu que des relations sporadiques avec les femmes. Il ne se rappelle plus du nombre de ses aventures d'une seule nuit ou couchailleries express. Il a également l'impression qu'il n'a jamais quitté une femme sans lui donner d'explications mais, lorsqu'on insiste, il admet que cela lui est arrivé au moins une fois. Un soir, au lit avec une fille, il décida soudainement qu'il n'avait rien à faire là. Il se leva, puis, sans un mot de plus, dit qu'il devait sortir quelques minutes et ne revint ni ne parla plus jamais à sa partenaire. Il l'aperçut un an plus tard dans une salle de cinéma, mais fit tout pour l'éviter.

Il admet aussi qu'il oublie non seulement les détails entourant les relations qu'il peut avoir avec les femmes, mais également quels étaient ses sentiments à l'époque. Seulement deux femmes faisaient exception à la règle.

Sa relation avec Andrea ne dura que deux mois, mais les amis de Mark se souviennent qu'il semblait très emballé à l'époque. D'après ce qu'il leur avait raconté, ils avaient l'impression qu'elle l'avait rejeté. Je découvris qu'il en était autrement.

Mark m'avoua qu'elle l'attirait énormément et que cette passion tumultueuse dura deux mois. Il semblait vraiment l'aimer :

> « Nous avions beaucoup de choses en commun sur les plans émotionnel et intellectuel, mais il y avait chez elle deux choses que je n'aimais absolument pas : elle fumait et n'était pas de culture hébraïque. Au début, pendant deux semaines environ, je pensai au mariage, mais lorsque je lui avouai que je l'aimais, je réalisai que je ne me sentais pas à l'aise dans ce rôle. A la base, je savais que je ne serais jamais capable de l'épouser. Je me souviens d'une nuit particulièrement tendre où je me suis laissé aller à lui avouer mes sentiments mais, immédiatement, je me suis dit qu'il

fallait que je corrige cette erreur dans les plus brefs délais. »

Mark soutient qu'il n'aime guère être l'initiateur de la rupture. Au lieu de cela — ce qu'il fit avec Andrea — il adopte une conduite si provocatrice avec sa partenaire que celle-ci n'a d'autre choix que de contre-attaquer :

> « Lorsque je réalisai que je n'allais plus pouvoir éviter de parler mariage avec elle, je sabotai notre relation en me montrant boudeur et maussade. Elle mit fin à notre liaison, mais c'est moi qui l'y avais poussée. Un soir, dans une réception, je me suis placé à l'écart et l'ai évitée. Elle ne tarda pas à m'affronter. Elle me déclara qu'elle m'aimait mais qu'elle ne voyait pas comment notre relation pourrait progresser dans ces conditions. Même si j'avais voulu la relancer, je ne pus argumenter bien longtemps contre la justesse de son diagnostic. J'étais vraiment secoué et déprimé à la fin de cette aventure, mais elle avait parfaitement raison : peu importe ce qu'elle aurait pu faire, il n'était pas question que je l'épouse... »

Il est intéressant de remarquer que même si Mark se plaint de ne pas pouvoir rencontrer ou attirer des femmes, il ne perd pas de temps pour mettre fin à une liaison, même si cette dernière est des plus satisfaisantes.

Contrairement à la plupart des hommes que j'ai interrogés, Mark ne semble pas se livrer à la classique cour effrénée que nous avons maintes fois évoquée. Il découvre ses partenaires au fil de ses rencontres sociales et cela lui donne davantage le temps de se vendre. Tout en parlant, nous découvrîmes que la cour à laquelle il s'adonnait était néanmoins énergique et pleine de subtilités.

Lorsque Mark jette son dévolu sur une femme, il dirige immédiatement la conversation sur sa vie, ses angoisses et ses problèmes. Il sait très bien que s'il brosse un tableau un peu sombre d'un homme cherchant la femme idéale qui le libérera des affres de la solitude, sa victime inconsciente ne manquera pas de s'imaginer être la bonne fée qui modifiera le cours de sa petite histoire personnelle.

Cette dynamique prit place dans une relation de Mark qui fut peut-être la plus longue et la plus profonde de sa vie. Jane était une collègue. Il la connaissait depuis un an avant de la fréquenter. Elle l'attirait véritablement et il fit tout ce qu'il put pour retenir son attention. Avant de se retrouver au lit, elle connaissait tout de ses états d'âme et il fut surpris de la voir accepter toutes ses sautes d'humeur. Même s'il se sentait plus à l'aise et plus sécurisé qu'il ne l'avait jamais été au cours de ses relations antérieures, la liaison se termina quand même parce qu'il savait qu'il n'épouserait jamais une femme n'appartenant pas à la communauté juive.

Tout comme il l'avait fait avec Andrea, Mark avoua à Jane qu'il l'aimait, mais ajouta qu'il se sentait moins coupable parce qu'il réalisait que le mot *amour* signifie différentes choses selon les gens et les cultures. Il estime que si Jane voulait savoir si, pour lui, le mot *amour* signifiait « Je veux vivre pour toujours avec toi », c'était à elle de le lui demander.

Jane connaissait l'opinion de Mark sur les mariages interreligieux. C'est pourquoi je lui demandai comment cela aurait pu continuer. Il m'avoua qu'il l'aurait probablement conduite sur une fausse piste :

> « Au début de notre liaison, avant de faire l'amour avec elle, je pense lui avoir dit que si j'éprouvais des sentiments suffisamment profonds pour une femme, je pourrais oublier cette histoire de culture hébraïque. Je pense qu'elle voulait tout simplement s'assurer que j'étais prêt à passer par-dessus ce détail, car elle s'était vraiment engagée envers moi. Après que nous fûmes devenus amants, elle me posa un tas de questions sur le judaïsme et je lui répondis que si je m'engageais à mon tour je lui demanderais certainement de se convertir. Etant donné qu'elle n'avait aucun préjugé à ce sujet, elle a dû prendre cela pour une possibilité, mais ne m'a pas franchement posé la question de confiance et je ne voulais pas faire chavirer le bateau. Je ne lui ai jamais dit que c'était impossible, parce que je m'imaginais que si je le faisais, la relation allait tourner court et je ne le voulais pas, surtout au début. »

Malgré toutes ces bonnes intentions, après deux mois d'intimité, Mark commença à effectuer un retrait sur le plan émotionnel. Il avait rassemblé une bonne douzaine de raisons de trouver que Jane ne lui convenait pas :

> « Oui, j'émettais des réserves à propos de Jane. Elle n'a jamais eu ma chance et il a fallu qu'elle travaille pendant qu'elle poursuivait ses études. Elle savait que je l'aurais souhaitée plus instruite, alors elle s'est mise à prendre des cours de deuxième cycle. Elle se politisa et commença à regarder le monde autour d'elle. Elle se mit à lire les journaux, à acheter livres et magazines, à courir les musées et galeries pour en apprendre davantage sur les arts. Elle arrêta même de fumer. »

Cette énumération nous indique que Jane manifestait un vif intérêt pour Mark. Lorsqu'il commença à la critiquer, elle le crut et c'est pour cela qu'elle entreprit tout ce qui était nécessaire pour changer. Mais, comme c'est souvent le cas, toute la bonne volonté et les bonnes intentions de Jane n'influencèrent point la conduite de Mark. Cela ne le poussa pas non plus à avoir le courage de faire savoir à la jeune femme que, d'une manière ou d'une autre, cela ne fonctionnerait pas :

> « Je pense que tout ce qu'elle entreprit pour modifier sa façon de vivre lui a donné un bon coup de main par la suite, alors je ne peux me sentir coupable. Il n'y a pas de doute : elle avait l'espoir de devenir la femme de mes rêves et je pense que je ne lui ai jamais laissé croire que c'était impossible. La plupart de mes messages étaient sibyllins. Lorsqu'elle commença à

> parler de plans à long terme, comme les congés et les vacances, je traînai la patte. Cela fait partie de ma stratégie. Au lieu de dire un "non" catégorique, je noie le poisson... »

Même si, au début, Mark et Jane se voyaient quatre ou cinq fois par semaine, ils continuaient à garder leurs distances au travail afin d'éviter les cancans. L'une de leurs collègues, une certaine Debbie, joua un rôle dans leur rupture, même si, détail cocasse, elle n'était pas juive :

> « Je connaissais Debbie et j'étais en bons termes avec elle avant de connaître Jane, mais ce n'est qu'après être devenu l'amant de Jane que je commençai à regarder Debbie avec d'autres yeux que ceux d'un simple collègue de travail. Jane m'a beaucoup donné. Sans aucun doute, je me sentais beaucoup plus confiant grâce à elle. De plus, je me suis certainement servi de Debbie pour prendre du recul avec Jane. Je ne sais pas... Je n'ai jamais fait l'amour avec Debbie, mais le genre de relations que j'entretenais avec elle, ainsi que les fantasmes qu'elle me procurait, ont certainement joué un rôle dans la rupture. »

Avant de sortir avec Jane, Mark n'avait pas de femme attitrée. Il était désespérément seul et se sentait très peu sûr de lui. Il fut le premier à admettre qu'il avait enfin connu une relation sexuelle satisfaisante grâce à Jane, avec qui il avait eu un rapport platonique une année entière avant de la retrouver au lit. On serait prêt à s'imaginer qu'il ait au moins apprécié cette relation, même temporaire. On s'attendrait qu'il montrât au moins quelque gratitude envers Jane. Dans les mois qui suivirent, il n'en commença pas moins à se comporter de manière que leur relation soit irrémédiablement condamnée.

Mark avait parlé à Jane de l'amitié qu'il portait à Debbie tout en lui expliquant — et il était sincère à l'époque — qu'il ne pouvait pas parler à Debbie de leur liaison. Jane avait réagi en se sentant blessée et en se montrant jalouse. Si la relation de Mark avec Debbie n'était que de l'amitié, comme il se plaisait à le répéter, pourquoi Jane devait-elle se trouver exclue? S'il s'agissait d'une amitié si désincarnée, pourquoi Mark ne disait-il pas à Debbie que Jane était sa maîtresse?

> «Je décidai de faire un voyage à un moment où Jane ne pouvait s'absenter de son travail. Debbie, de son côté, le pouvait et voulait vraiment me suivre. Nous avons donc pris la voiture et nous nous sommes rendus au Canada.
>
> «Rien ne se passa entre nous, mais je réalisai que Jane ne me manquait pas autant que je l'aurais cru. Lorsque je revins, Jane m'attendait avec impatience à l'appartement. Elle était très en beauté et avait commandé un excellent repas pour nous deux. De mon côté, j'étais fatigué et grincheux. J'évitai tout contact physique avec elle, allai me coucher et m'endormis sur-le-champ. Je pense qu'après cela, je

me montrai de plus en plus teigneux et maussade avec elle et tout commença à se disloquer.

« Jane s'occupait toujours de moi et cuisinait mes repas. Je ne savais trop que penser. J'aimais ça, c'est sûr, mais je voyais qu'elle n'avait pas compris qu'en ce qui me concernait, notre liaison était terminée, si bien que je me sentais coupable et godiche en même temps. Elle s'affairait à faire progresser notre relation et je tentais de lui faire subtilement savoir que ça ne pouvait pas durer. Plus je me sentais coupable et plus je devenais maussade. Plus elle se montrait gentille, plus j'étais embêté parce que je voulais l'abandonner. Je me disais que la seule raison pour laquelle elle se montrait gentille était qu'elle voulait parvenir à ses fins. »

Au début, lorsque Jane avait été gentille avec Mark, il interprétait son comportement comme étant le signe d'une personnalité et d'un jugement supérieurs ; il l'avait choisie à cause de cela. Lorsqu'il a voulu abandonner le bateau, il a commencé à trouver d'autres explications à sa bonne volonté et décida qu'elle essayait de le manipuler. Trop d'hommes m'ont raconté des histoires de ce genre. Ainsi, si une femme souffre d'avoir été rejetée, certains hommes mettent en doute l'honnêteté de ses sentiments et décident qu'elle essaie de les avoir avec des larmes. Contrairement à beaucoup de ses semblables, Mark se montra finalement assez honnête pour réaliser que Jane était une femme véritablement chaleureuse et généreuse :

> « Dès que les choses devenaient entre nous trop faciles et trop confortables, j'essayais de prendre mes distances en créant des arguments sur des sujets insignifiants. C'est ainsi que nous avons continué pendant quelques semaines. Je jetais la clef anglaise dans les rouages de la machine, tandis qu'elle essayait de la faire fonctionner. Elle ne put que s'apercevoir que je lui cherchais noise. Je pense que ce qui me rendait hargneux n'était pas tant de savoir fort bien que je ne l'épouserais jamais, mais plutôt ma culpabilité. Et puis, nous nous voyions de moins en moins. Après quelques semaines de ce régime, Jane me demanda des comptes alors que nous entreprenions une randonnée à pied. Ce fut horrible. Il nous fallut rentrer car elle pleurait tout le temps. Je n'avais pas eu l'intention de rompre de cette manière. »

Mark a tenté de demeurer ami avec Jane, mais elle se chercha un nouvel emploi peu après que la relation eut pris fin. Elle eut la chance d'en décrocher un mieux rémunéré, plus intéressant et plus prestigieux. Mark admet que cette relation est la plus heureuse qu'il ait jamais vécue :

> « Il est hors de tout doute que nous avons bien communiqué. A un premier niveau, ce fut une relation très intime, très honnête mais, d'un autre côté, du fait

que je ne lui aie rien dit, je me suis montré sous un jour assez écœurant. »

Mark ne peut expliquer pourquoi il n'a pas encore fait la connaissance d'une jeune femme juive, mais il affirme néanmoins que la religion joue un rôle important dans son attitude ambivalente quant au mariage :

> « Le fait que la fille ne soit pas juive constitue une sorte de soupape de sûreté. Dans ma tête, je me dis qu'avec une juive, il n'y aurait pas d'échappatoire. Par définition, il n'y aurait plus aucune dérobade possible. »

Mark explique que, lorsqu'il dort dans le même lit qu'une femme, il éprouve des difficultés à respirer et se réveille avec l'impression d'être prisonnier. Toutes les femmes qui l'ont fréquenté l'ont d'ailleurs remarqué :

> « Je me réveille avec l'impression d'être prisonnier, vraiment cloîtré, et je déprime. Les femmes dont je partage le lit me disent qu'en respirant, j'ai l'air de soupirer. Cela n'arrivait pas avec Jane. Ce fut la seule d'ailleurs, puisque avec elle j'avais une bonne raison d'abandonner la relation : la religion. C'est pour cela que je ne fréquente guère de juives. C'est la peur, la peur de me retrouver avec des pressions qui me forcent à m'engager. Pourtant, lorsque je sais au départ qu'une relation est un cul-de-sac, c'est vraiment déprimant, très artificiel. Les femmes ne me disent jamais que je ronfle. Elles

décrivent mon rythme respiratoire comme un soupir, une lamentation, et elles en déduisent que je suis triste — ce qui est d'ailleurs exact. »

Le cas de Brad

Même si cela peut sembler contradictoire, certains phobiques aigus aspirent malgré tout au mariage. La plupart n'aiment pas vivre seuls et désirent partager leur vie. Cependant, à peine ont-ils dit « oui » que leur démon intérieur se met à hurler : « Laissez-moi sortir d'ici ! »

Un tel homme a tendance à penser que c'est le choix de la mauvaise partenaire et non la situation qui cause sa détresse. Aussi peut-il divorcer et se remarier plusieurs fois. Brad illustre notre propos.

A 48 ans, Brad est un cinéaste séduisant qui projette de se remarier pour la cinquième fois. Il est d'ailleurs le premier à reconnaître qu'il est un bien piètre parti :

> « Cela peut sembler fou, surtout lorsqu'on regarde mon passé, mais j'ai toujours hésité à me marier. En fait, je ne l'ai jamais vraiment voulu. D'ailleurs, même quand je disais "oui", cela ne m'empêchait pas de considérer le mariage comme un piège. J'aurais probablement pu éviter beaucoup de peine à bien des femmes si j'avais simplement suivi mon instinct. Il faut dire que lorsque j'étais intéressé par une de celles-ci, je brûlais de tous les feux. Je parcourais de longues distances, leur

écrivais des poèmes... Puis venait immanquablement le moment de me montrer sérieux et je me disais : "Comment puis-je me tirer de ce bourbier ?" Mais un jour, il est trop tard, et vous ne pouvez pas vous en sortir sans avoir l'air d'un délinquant. »

Brad s'est marié deux fois au début de la vingtaine. A cette époque, il faisait son droit et décrocha un diplôme pour une profession qu'il ne devait d'ailleurs jamais pratiquer. Ce furent deux mariages éclairs. Le troisième mariage, qui dura douze ans, fut le plus long, et sa femme lui donna quatre enfants :

« Ma troisième femme fut celle envers qui je m'étais — du moins à ma manière — le plus engagé. Elle était très belle et, à certains moments, je l'aimais vraiment à la folie. Cela ne m'empêcha pas d'être infidèle de manière ignoble après seulement un an de mariage. Je racontais à ma femme que je devais rester tard au bureau. Au début, elle pensait vraiment que je travaillais comme un forcené. Plus tard, je commis des erreurs et elle découvrit la vérité. »

Brad dit qu'il compliquait la situation en blâmant sa femme :

« Ces liaisons me culpabilisaient terriblement. Pour me justifier, je disais que ma femme était frigide. Je critiquais sa façon de faire l'amour et, bien sûr, cela nous entraînait dans un cul-de-sac. Après ce genre de traitement, elle se montra de moins en moins intéressée par des relations sexuelles avec moi. Ça se comprend...

> «J'avais également l'habitude de la rabaisser, même pour les choses qu'elle faisait bien. Par exemple, je rentrais à la maison et elle était là, en train de tranquillement m'attendre, aidant les enfants à faire leurs devoirs, tandis que le souper était prêt à être servi. Au lieu de me sentir heureux, j'enrageais. Ce bonheur domestique me harassait car il symbolisait le piège dans lequel je me débattais. Alors je me moquais d'elle, la blâmais pour tous mes ennuis, lui faisais le vieux numéro du grand incompris et trouvais un assortiment de fausses excuses pour rationaliser mon comportement débile.»

Brad a conscience que son épouse aurait passé à travers les flammes pour lui faire plaisir, mais que même cela ne servait à rien :

> «Ma femme m'adorait et je me suis débrouillé pour tout détruire. Je m'en sens encore coupable. Elle voulait simplement être une bonne épouse. Elle était adorable, tenait merveilleusement notre maison. Elle était dévouée et travailleuse. Elle aurait rendu heureux tout homme normal mais, pour moi, chacun de ses petits plats mijotés n'était qu'un autre clou dans mon cercueil. Je ne pensais qu'à une seule chose : m'en aller.»

Pendant son mariage, Brad se trouva engagé dans une liaison passionnée et très embrouillée avec une femme mariée qui suggéra qu'ils se séparent de leur conjoint respectif et se remarient ensemble. Par ironie du sort, Brad réalisa que l'intensité avec laquelle sa maîtresse se cramponnait lui faisait considérer son mariage présumé malheureux comme une sorte de havre de paix. Aussi, peu après que sa maîtresse lui eut proposé la solution du divorce instantané avec remariage, leur liaison se désintégra.

Même s'il racontait facilement qu'il rêvait avoir la possibilité d'en finir avec son mariage, lorsque la rupture survint, Brad se transforma en une véritable épave :

> « Finalement, après douze ans, ma femme en eut assez ; elle s'intéressa à un autre homme et me déclara qu'elle désirait divorcer. Je tombai alors en pleine dépression. Vu les circonstances, c'était très surprenant. Je la suppliai d'essayer encore, de me donner ma chance, mais elle ne voulut rien entendre. A l'époque, j'étais très amer et je la blâmais pour tout ce qui arrivait. Avec le recul, je trouve qu'elle a eu raison. Elle a agi en légitime défense. Je respecte énormément cette femme qui était vraiment trop bien pour moi. »

Après son troisième mariage, Brad, qui avait l'habitude de changer souvent de carrière, déménagea dans une autre ville. Il rencontra alors une femme avec laquelle il eut une liaison qui dura cinq ans. Même s'il ne se montra pas très fidèle envers elle et bien qu'il la décrivît comme une personne « parfaite pour lui », ses aventures furent légion.

Il y avait deux ans qu'ils sortaient ensemble lorsqu'ils parlèrent de partager un même toit. Elle déménagea dans un appartement qu'ils avaient tous deux choisi mais, lorsque ce fut le tour de Brad d'emménager, il recula. Il raconte que, pendant plusieurs jours, il refusa de répondre au téléphone pour finalement avoir le courage de faire face à son amie et lui déclarer qu'il n'avait pas l'intention de déménager avec elle. Même s'il avait des problèmes d'argent, Brad ne fut jamais capable de quitter son propre logement. Pourtant, il passait presque toutes les nuits chez son amie !

> « Après quelques années de ce manège, je soulevai la question d'un mariage possible — une grossière erreur puisque, pour sa part, elle ne m'en avait jamais parlé. Après cela, elle devint soucieuse de légaliser notre situation et me lança même un ultimatum : le mariage ou non... »

Brad choisit le « non » et l'idylle tourna court. Il ne fut pas long à s'embarquer dans une autre liaison. Cette fois-ci, il se maria. Cette union fut de très courte durée et, de son propre aveu, « très orageuse ».

Brad se révélait un très bon sujet d'étude, car il parlait volontiers de ses problèmes d'engagement. Il était sincèrement dégoûté de son comportement et s'inquiétait beaucoup à l'idée de ne jamais changer :

> « Quelque chose chez moi me dit que si j'ai eu beaucoup d'emplois et connu beau-

coup de femmes, c'est parce que je suis une sorte de personnage hors série, imaginatif et aventureux. Mais une autre partie de moi sait pertinemment que je ne veux pas occuper le même emploi ni fréquenter la même compagne afin que l'on ne puisse m'identifier ni avec l'un ni avec l'autre.

« J'ai utilisé toutes sortes de prétextes pour laisser tomber des femmes. Je me souviens d'un jour où je me trouvais avec une femme que j'aimais beaucoup, je lui ai dit : "Nous allons nous marier, car il faut que nous vivions ensemble." Elle m'avait alors répondu que nous avions trop de problèmes à aplanir et trop de choses à surmonter. Je lui ai rétorqué que l'amour transporte les montagnes. En fin de compte, elle commença à me croire et, un jour, me déclara : "Je crois que tu as raison." Je fus pris de panique à l'instant même. Je pensais : "Mon Dieu ! comment puis-je être aussi idiot ? Pourquoi n'ai-je pas laissé les choses comme elles étaient ? Pourquoi avoir ainsi tout gâché ? »

Brad compte parmi les phobiques de l'engagement qui savent se montrer bons pères et assumer leurs responsabilités :

« J'ai appris comment m'engager avec mes enfants. Je sais qu'il y a des hommes qui laissent tomber leur progéniture, mais ce n'est pas mon cas. C'est peut-être parce que la société regarde d'un œil plus torve l'homme qui ne traite pas bien ses enfants que celui qui maltraite sa femme. Il n'y a aucun doute : l'opprobre qui entoure un père dénué de sentiments envers ses enfants est beaucoup plus lourd que celui qui échoit aux maris indignes. Peu importe la raison, j'insiste pour me montrer responsable envers mes enfants. »

DEUXIÈME PARTIE

Votre relation avec un phobique de l'engagement

Connaissant maintenant la peur panique qui empêche certains hommes d'aimer, y pouvez-vous quelque chose ?

Non, si l'on tient pour acquis que certains hommes sont tellement phobiques qu'ils suffoquent même si leur amante déménage de l'autre côté du monde. Non, si l'on sait que la plupart d'entre eux butent contre la panique sans pouvoir la dépasser. Deux fois non, si vous prenez en main le problème et cherchez vous-même à le changer. Si vous vous culpabilisez et par ce biais niez la réalité du problème, non et non, ils nieront aussi.

Mais le oui est en bout de piste pour tous ceux qui ne supportent plus de craindre de s'engager et d'aimer et qui décident vraiment de changer. S'ils donnent à leur transformation la priorité, ils y arrivent. Tous ne sont pas atteints au même degré et si vous ne prenez pas plus qu'il ne faut leur mal en peine, si vous avez assez de stabilité émotionnelle pour choisir de partir s'il le faut ou d'accompagner lucidement leur guérison, vos efforts réciproques sont récompensés.

Qui êtes-vous pour entrer en relation avec un homme qui va vous répudier maintenant ou après ? Il n'y a pas de portrait type, et ce serait un non-sens de vous cataloguer, mais vous possédez sûrement les traits qu'il recherche puisque l'entrée en relation vient de lui en premier. Ces traits pourraient être principalement ceux qui lui manquent. Vous êtes sans doute fiable pour lui avoir inspiré confiance. On peut donc compter sur vous, vous savez tenir vos promesses. Avant de vous engager, vous y songez sérieusement. Si vous agissiez comme il le fait en début de relation, cela aurait de fortes implications. Notamment, cela signifierait que vous êtes prête à entreprendre tout ce qui est humainement possible pour que la relation aboutisse.

Lorsque vous rencontrez un homme, vous évitez de trop vous avancer. Auparavant, vous devez être convaincue de la sincérité de ses sentiments et de ses intentions, tout autant que des vôtres. Evidemment, vous recourez à vos propres critères pour interpréter sa conduite. Vous imaginez qu'il poursuit les mêmes buts et qu'il pense comme vous. Comment le pourrait-il, lui qui souffre d'oppositions profondes qui lui font renier ce que tout être humain désire le plus : aimer et être aimé, de peur de s'engager ?

Ce sont votre lucidité et votre adaptabilité qui seront vos alliées pour reconnaître la problématique dont souffre l'homme que vous convoitez. Vous choisirez alors au bon moment de travailler ou d'abandonner la relation si des extrêmes la rendent sans issue.

Une relation caractéristique avec un phobique de l'engagement peut se fractionner en séquences. Chacune a sa propre dynamique, qui suit celle de l'emprise de la phobie mais subit cependant des variantes et des degrés individuels. Dans les pages suivantes, nous adopterons ce modèle et vous y trouverez la description des faits et gestes distinctifs du phobique (le schéma typique), des réponses féminines courantes (vos réactions possibles), des événements sous-jacents qui motivent le phobique (son ordre du jour) et, enfin, des comportements qui vous permettraient de garder votre situation en main (des réactions avisées).

Tous les phobiques de l'engagement ne franchissent pas toutes les étapes en ligne droite, le circuit s'enchevêtre, se répète, régresse, saute à la fuite à un point de non-retour ou à un autre, mais l'essentiel a la tournure type décrite. C'est pour que vous ne puissiez plus fantasmer sur ces relations le plus souvent sans issue que ce livre est utile. C'est pour que vous reconnaissiez le parcours caractéristique de ces hommes et que vous arrêtiez net et court ces drames stériles. La peur d'aimer est une infirmité qui se communique et dévaste les femmes qui « aiment trop ». La dépister, c'est le meilleur moyen de s'en écarter ou, si cela vaut la peine d'y demeurer, de participer à la guérison, la vôtre et la sienne, mais sciemment.

7

Premier acte: Séduction à outrance. Vous êtes sous le charme.

Pas de tergiversations: Au début, le phobique se montre ardent, romantique et emporté dans ses faits, gestes et mots. Son premier but est de vous soumettre vite. Mots charmeurs, cadeaux princiers pour capter votre attention et vous faire tomber dans ses filets, sa fixation fait prendre une telle tournure aux événements qu'il est difficile de leur résister.

Le schéma typique

1. Il arrive en lion et se montre plus intéressé que vous à faire naître une relation.

Vos réactions possibles:

A la première rencontre, vous manifestez peut-être peu ou pas d'intérêt pour lui. La majorité des femmes nous ont justement déclaré qu'elles trouvaient, dès le départ, trop de différences d'intérêts et de genre de vie entre elles et ce genre d'hommes : « Je ne voyais vraiment pas comment je pouvais l'attirer à ce point. Il devait faire erreur sur la personne, mais finalement j'ai aimé me sentir si désirable... »

Son ordre du jour :

Le phobique renverse les premières barrières l'une après l'autre. Il déploie sa panoplie du parfait séducteur. A ce stade, il ne pense pas aux conséquences à long terme de ses paroles et de ses actions. Il ne recherche que votre réaction. Une de ses prouesses est de vous amener à faire l'amour. Il sait que lorsqu'une femme accepte, cela l'engage généralement. C'est exactement ce qu'il recherche.

Des réactions avisées :

Lorsqu'un homme semble être tombé sous votre charme avec une telle célérité, montrez-vous sceptique. Est-ce fantasme ou réalité ?

Il est facile de se laisser enjôler. Pourtant, il vous connaît si peu que ses flatteries ne peuvent être que manières de séduction. Avant de vous y laisser prendre, observez *ce qu'il dit et fait*, aussi bien que *ce qu'il ne dit pas et ne fait pas.*

Faites confiance à votre intuition. Ne vous pâmez pas sous ses talents oratoires. Soyez lucide et ne vous laissez pas entraîner dans son monde fantasmagorique. Il vous désire, c'est certain. Si vous succombez, faites-le sciemment, pas parce qu'il est en proie aux affres de la passion plus qu'aucun homme ne l'a jamais été, pas parce que vous vous sentez en reste du fait qu'il ait tant investi dans votre relation en argent, en temps et en énergie, pas pour que cela fasse durer la relation.

Même s'il recherche l'intimité par tous les moyens, conservez vos distances. Profitez-en pour observer son caractère, la profondeur de ses sentiments, plutôt en utilisant votre intuition qu'en vous fiant à son discours. Plus il hâte le pas, plus vous devrez retenir la bride. S'il s'impatiente et vous quitte, dites-vous que, pour vous, le résultat aurait été le même un peu plus tard, avec une peine d'amour en prime.

Serait-il possible qu'il vous montre autant d'intérêt au début parce que vous vous montrez indifférente ?

2. Très rapidement, il vous fait comprendre que vous êtes quelqu'un de très particulier et laisse tomber toutes ses réserves pour vous subjuguer.

Vos réactions possibles :

Il vous a complètement acceptée et c'est un sentiment merveilleux. Il est facile de vous détendre et d'être vous-même avec lui. Vous êtes très sensible à l'attention qu'il vous porte et cela vous pousse à le regarder d'un œil bienveillant : « Je l'ai bien examiné et j'ai tout de suite vu ses défauts, mais il m'aima tellement que je n'ai plus eu aucune raison d'avoir de réserve. »

Son ordre du jour :

Pour cet homme-là, les notions de « particulier » et de « toujours » sont paradoxales. Oui, il pense que vous êtes « particulière » et veut que vous pensiez la même chose de lui, mais cela ne veut pas dire que votre relation est pour « toujours ».

Des réactions avisées :

Ce n'est pas parce qu'il n'affiche aucune réserve que vous ne devriez pas en avoir à son égard.

C'est à ce moment précis que vous pourriez enquêter sur ses relations antérieures avec les femmes et avec sa famille. Regardez-le pour ce qu'il est et non pour son habileté à manipuler votre amour-propre.

Si votre réaction initiale a été la méfiance, pensez-y à nouveau avant de continuer.

3. Son passé sentimental a été mouvementé, mais il vous fait croire qu'avec vous tout sera différent.

Vos réactions possibles :

Quand il raconte ses déboires sentimentaux, vous éprouvez de la pitié pour ce pauvre endolori. Il a une manière de vous présenter ses échecs qui vous porte à croire qu'ils sont imputables aux autres femmes. Bien sûr, elles ne l'aimaient pas assez ! Peut-être aussi ne les aimait-il pas autant qu'il vous aime ! Elles possédaient peut-être un caractère ombrageux ou étaient exigeantes. Vous imaginez que votre relation va être totalement différente parce que vous partagez une entente privilégiée.

Son ordre du jour :

Il vous raconte ses problèmes amoureux antérieurs. S'agit-il là d'une manière de vous prévenir qu'il ne faut pas vous attendre à des miracles? D'un autre côté, il ne veut pas que vous vous éloigniez. C'est pourquoi il doit vous fournir les raisons de tous ses échecs — les autres femmes! —, laissant sous-entendre que cela pourrait se révéler différent avec vous, l'élue. Il est tellement coupé de son véritable problème qu'il se prend à son propre piège.

Des réactions avisées:

Si vous apprenez qu'il a fait souffrir une autre femme, pourquoi tenir pour acquis qu'il agira différemment avec vous?

S'il blâme ses anciennes compagnes d'être la cause de ses problèmes, croyez-vous que ce soit toujours la faute des autres?

S'il impute ses problèmes passés à son propre comportement, il dit probablement la vérité et il y a de fortes chances pour que cela se passe de manière similaire avec vous.

Son passé est une source d'informations sûre à votre disposition. Ce n'est pas parce qu'à cette période de votre relation il agit comme s'il était votre meilleur ami que vous devez avoir confiance en lui. Prenez le temps de bien discerner s'il est apte à entretenir une relation à long terme.

4. Il fait tout pour vous impressionner. S'il en a les moyens, l'argent lui brûle les doigts. S'il possède quelques talents, il les exhibe. S'il possède quelque « sensibilité » ou quelque « sincérité émotionnelle », il les porte en sautoir.

Vos réactions possibles :

Il est merveilleux de connaître quelqu'un qui vous traite comme une reine. Vous êtes touchée par les moyens qu'il déploie. De votre point d'observation, il ne semble pas réaliste qu'un homme puisse dilapider autant d'argent et d'énergie pour conquérir une femme sans que l'idée de la vouloir pour toujours ne soit à la base.

Son ordre du jour :

Il fera n'importe quoi pour vous conquérir ici et maintenant, mais pas pour l'avenir. S'il a de l'argent, il vous couvrira de cadeaux ou, au moins, vous invitera dans les endroits les plus huppés. S'il n'en a pas, il vous livrera son âme par sections, selon un plan bien établi. S'il possède des talents susceptibles de vous intéresser, il vous les fera apprécier. Qu'importent les talents qu'il exhibera, il y a de bonnes chances pour qu'il ait déjà bien rodé son numéro.

A ce point de la relation, les hommes sont conscients des points qu'ils marquent et de la proximité de leur objectif. Leur sentimentalisme, leurs invitations font partie de leur philosophie de l'instantanéité. Ils n'éprouvent aucune difficulté à partager leur intimité avec une étrangère car ils ne pensent qu'à eux-mêmes.

Des réactions avisées :

Cet homme ne pense pas comme vous. Lorsqu'il dit que vous n'êtes « pas comme les autres », ce n'est pas synonyme de « Je te veux à moi pour toujours ». Prenez ses hommages pour ce qu'ils signifient et non pour ce que vous souhaiteriez qu'ils discnt. Ne vous offrez pas trop vite. La prudence constitue encore votre meilleure stratégie.

Profitez de ces moments agréables avant de vous engager et regardez-le de manière réaliste. Faites-lui rencontrer vos amis, rencontrez les siens et observez-le agir. Veillez à trouver une place dans son monde et soyez sûre qu'il ne vous cache rien. S'il veut vous exclure du reste de sa vie, mieux vaudrait vous en apercevoir tout de suite.

Il est facile de se laisser emporter par une cour aussi intempestive, pourtant faites en sorte que cela ne se produise pas. S'il s'agit d'un amour véritable, vous aurez le temps de vous y abandonner par la suite. Vous avez la vie devant vous. *Ne craignez pas de freiner ses transports, ainsi que les vôtres*.

5. Il apparaît vulnérable et agit comme s'il avait davantage besoin de cette relation que vous-même.

Vos réactions possibles :

Il semble avoir tellement besoin de vous que cela devient pathétique. Vous avez l'impression qu'il vous fait une confiance sans limite et exclusive. Sa promptitude à montrer sa vulnérabilité vous fait penser qu'il n'est pas dangereux de dévoiler la vôtre.

Son ordre du jour :

Il *est* vulnérable et a besoin de vous. Un véritable phobique galvaude beaucoup de son temps et de son énergie à prendre ses distances, mais pas au début d'une relation, lorsque la femme ne recherche encore aucun engagement de sa part. Il se sent là en pleine sécurité et déverse son trop-plein émotionnel.

Des réactions avisées :

Sachez que sa vulnérabilité est trompeuse et que sa façon de vous la dévoiler si vite est suspecte. Reconnaissez les faits derrière ses sentiments. Si ce qu'il raconte semble trop le servir, soyez prudente. La sensiblerie qu'il affiche devant ses problèmes ne signifie pas qu'il se montrera compatissant pour les vôtres, car sa complaisance est à sens unique. A ce point de votre relation, ne lui accordez votre confiance que s'il a su déjà la mériter vraiment.

Ne vous laissez pas trop absorber par ses propres problèmes au point d'agir comme s'il était le seul à avoir des ennuis et que vous soyez la seule à vous en préoccuper. Ne prenez pas en charge ses états d'âme et ne le prenez surtout pas en pitié.

6. Il indique, par des mots ou des actions, qu'il recherche une relation profonde et monogame et non quelque aventure superficielle.

Vos réactions possibles :

Vous êtes heureuse d'avoir rencontré quelqu'un qui semble posséder un ensemble de valeurs sûres. Si l'on se fie à ce qu'il dit, il est facile de conclure qu'une fois la bonne personne rencontrée, il sera prêt à s'engager sérieusement, d'autant plus que, à sa façon de vous regarder, vous semblez représenter l'heureuse élue.

Son ordre du jour:

Il n'essaie pas véritablement de vous tromper, car il pense ce qu'il dit. S'il est vraiment phobique, il n'a probablement jamais pu réussir de *bonnes* relations amoureuses, ce qui explique pourquoi il en cherche si désespérément une. Cela ne dit pas qu'il en soit capable. C'est encore un de ses fantasmes. Lorsqu'il parle d'une relation solide, il parle en général et non en particulier. Il ne fait aucune promesse. Il ne lui apparaît pas évident que l'on s'attende qu'il agisse immédiatement. Il pourrait peut-être envisager une relation de ce genre l'année prochaine, pas dans un futur immédiat. Cependant, bien qu'il ne veuille pas des obligations qui vont de pair avec un engagement à long terme, il aimerait en avoir tous les avantages et bénéficier de votre amour sur un claquement de doigts.

Des réactions avisées:

Sachez qu'il ne pense pas comme vous. Si vous étiez à sa place, vous pèseriez chaque mot avant de parler. Pas lui.

Que les mots qu'il prononce ne vous mènent pas à rêver de «mari», «enfants», «petite famille», etc. Ne soyez pas prête à croire en sa sincérité. Ne vous laissez pas leurrer. Apprenez à discerner. Un homme intéressé dans une relation où il doit s'engager se donne le temps d'y réfléchir avant d'en parler. Si son intention était sérieuse, il n'utiliserait pas des termes vagues.

Il semble posséder de bonnes vieilles valeurs traditionnelles. Ne tenez pas pour acquis qu'il estimera davantage une femme qui aurait toutes les qualités d'une partenaire idéale. *Un point très important :* N'essayez pas de devenir la femme parfaite, mère, épouse, maîtresse et sœur à la fois dans le but de le convaincre que vous êtes celle qu'il recherche.

Sachez bien ce que vous recherchez dans une liaison à long terme. Même s'il le voulait, cet homme est-il en mesure de vous l'apporter ? En d'autres termes, est-il l'homme qu'il vous faut ou négligez-vous de relever ses traits négatifs sous prétexte qu'il s'intéresse vivement à vous ?

7. Il est prêt à n'importe quel excès ou exploit pour être avec vous, pour vous aider, même si cela perturbe ses plans.

Vos réactions possibles :

C'est fantastique... Rien ne l'arrête pour vous faire plaisir. Il fait sans rouspéter 120 km aller et retour juste pour vous voir. Le plafond de votre vestibule a besoin d'un coup de pinceau ? Il offre ses services. Il est si fébrile que vous avez l'impression qu'il rédige une sorte de demande d'emploi à paraître sous la rubrique « Bons maris à vendre ».

Son ordre du jour :

Il se montre en pleine excitation. La saison de la chasse est ouverte. Son niveau d'adrénaline a grimpé et rien ne lui a fait obstacle. Il s'agit en partie de manipulation et en partie d'une manifestation hormonale. Il est réellement surexcité, mais ne pense qu'au moment présent sans lien avec le suivant. Il ne prend pas en considération votre manière d'interpréter ses actions pas plus qu'il ne réfléchit à leur continuité.

Des réactions avisées :

Examinez-le d'un peu plus près. Agit-il de la même manière avec ses parents, ses amis, tout le monde ? Sa conduite est-elle le reflet véritable de son caractère ou bien fait-il tout ce tintamarre dans le seul but de conclure sa vente ? Au début d'une liaison les hommes qui ont vraiment le sens de leurs priorités ne sont pas prêts à tout laisser tomber pour une femme. Si cela arrive au bout de six mois, c'est autre chose, mais au commencement, c'est que quelque chose manque.

Laissez-le repeindre votre appartement. Laissez-le dévorer les kilomètres pour vous retrouver si telle est son envie. N'en concluez pas trop vite qu'un mariage soit en bout de piste.

Ne jouez pas le rôle de l'épouse, parce que vous vous imaginez que c'est son désir profond. Ne vous transformez pas en fée du logis. Si vous ne vous êtes toujours pas retrouvée dans son lit, ne le faites pas dans le seul but de le remercier d'avoir nettoyé votre garage, réparé votre voiture ou lavé votre chien.

8. Il vous appelle sans cesse, souvent juste « pour vous dire bonjour » ou « pour entendre le son de votre voix ».

Vos réactions possibles :

Il a presque toujours besoin de savoir que vous êtes là à l'attendre. Cela vous pousse à coller au téléphone ou à faire des pieds et des mains pour qu'il puisse toujours vous atteindre. C'est si facile d'en conclure qu'il aimerait tant être à vos côtés! Sa dépendance vous mène à penser qu'il pourrait désirer la vôtre.

Son ordre du jour:

Il pense vraiment à vous et vous appelle pour vous le prouver. A ce point de la relation, il a besoin de votre disponibilité et il ne lui vient pas à l'idée que vous puissiez en conclure que vous pouvez compter sur lui.

Des réactions avisées:

Pavlov avait sa petite cloche. Ces hommes ont des téléphones. Ils sont seuls à pouvoir utiliser ces appareils en tant qu'armes. Une femme avertie en vaut deux: Empêchez-vous de réagir à ses appels selon des réflexes conditionnés.

Ne prenez pas l'habitude de tout laisser tomber en pensant qu'il pourrait appeler. S'il n'a pas pu vous joindre et qu'il ne rappelle pas, cela signifie que, tôt ou tard, il n'aurait pas rappelé. Ne lui faites pas toujours savoir où vous êtes. Ne vous énervez pas en pensant qu'il doit éprouver un sentiment de perte parce qu'il ne peut pas vous joindre. N'oubliez jamais que même s'il vous appelle cinq fois par jour, cela ne signifie pas qu'il désire vieillir à vos côtés!

9. Il parle ouvertement de l'avenir, dresse les plans que vous réaliserez tous les deux. Il peut même utiliser le « nous » lorsqu'il parle de vous et de lui.

Vos réactions possibles :

Enfin un homme qui n'a pas peur de l'avenir ! Vous avez l'impression qu'il veut, d'une part, vous sécuriser dans la relation et, d'autre part, se sécuriser lui-même. Voici un exemple : « Dès le départ, il m'a raconté combien j'aimerais aller dans la villa de ses parents au bord de la mer. J'en ai déduit qu'il faisait des projets d'avenir et j'ai commencé à y croire. »

Son ordre du jour :

Sa conception de l'avenir est différente de la vôtre. Il pense à tous ces moments privilégiés qu'il pourra passer en votre compagnie sans prendre en considération la vie quotidienne. Or, chacun sait que cette dernière est plutôt la norme et qu'il faut bien la vivre avant de pouvoir bénéficier de quelques heures privilégiées. Il ne pense pas vous avoir promis quoi que ce soit et serait surpris si vous essayiez de lui faire réaliser tout ce qu'il a envisagé. Il utilise là un bon élément de manipulation. Il sait qu'une femme va réagir à ce genre de langage et, bien que ce ne soit qu'un piège, il pense encore être honnête et ne perçoit pas la contradiction.

Des réactions avisées :

Ne vous laissez pas emporter par sa vision de l'avenir. Cette vision ne doit pas vous pousser à croire à une relation à long terme. Ne fermez pas les yeux sur ses défauts parce qu'il fait miroiter devant eux un avenir incertain.

Ses références constantes aux lendemains n'ont pour but que de vous amadouer. Mais ne vous y trompez pas ! Son « nous » n'a pas le sens de durabilité que vous lui donnez.

Que d'années de vie sont gaspillées en attendant que ce type d'homme en arrive à une décision concrète ! Son recul graduel a un effet paralysant sur vous ; vous n'avez aucun pouvoir sur cette relation qu'il mène à son rythme. Cela affecte toute votre manière de vivre et vous pousse à l'inertie. Il est grave de renoncer au mouvement de sa vie. Ne vous le permettez pas.

10. Il fait penser que vous êtes la priorité de sa vie.

Vos réactions possibles :

C'est lui qui est devenu la *priorité* de la vôtre !

Son ordre du jour :

Il ne connaît pas le sens d'une priorité. Il agit d'une manière impulsive, éparpillée, sans aucune arrière-pensée sur le sens que peuvent donner ses actions.

Des réactions avisées :

Par définition vitale, vous êtes *votre* première priorité avec tout ce qui constitue l'essentiel de votre existence au moment où vous entrez en relation avec cet homme. Pourquoi tout reléguer et lui donner votre première importance ? N'est-ce pas déjà « aimer trop » ?

11. Il est ouvert aux problèmes soulevés par la condition féminine et méprise les hommes qui n'ont pas une attitude similaire.

Vos réactions possibles :

Il est si sensible et compréhensif qu'on a du mal à l'imaginer nuisible à une femme. Son attitude impitoyable envers les hommes qui maltraitent les femmes vous rassure. Il ne se conduira pas comme ceux qu'il réprouve, c'est sûr !

Son ordre du jour :

Son numéro antimachos le fait se sentir bien dans sa peau. Il est persuadé être un homme bien sous tous rapports. Il ne possède pas la méchanceté des autres hommes. Il est certain de comprendre les besoins réels des femmes et particulièrement les vôtres. Du moins, il veut que vous le pensiez. Un homme qui a déjà éconduit tant de femmes demeure sur la défensive. Il pénètre vite les torts des autres hommes et émet des jugements plus catégoriques sur leur conduite, bien plus qu'un mari innocent.

Des réactions avisées :

Observez bien cette ouverture d'esprit, soyez vous-même ouverte à reconnaître son système de projection. Ne cache-t-il pas sous ses objections des autres des intentions douteuses ? Ayez du discernement. L'amour rend aveugle qui ne veut pas voir.

12. Il fait tout pour vous convaincre de lui accorder votre confiance et, souvent, cela marche...

Vos réactions possibles :

Comment ne pas faire confiance quand un prétendant dit tout ce que vous souhaitez entendre et affiche une telle « foi » en vous ?

Puisque celle que vous lui témoignez a quelque chose de permanent, de durable, comme c'est le cas entre vrais amis, vous ne vous apercevez pas que pour lui il en est autrement.

Son ordre du jour :

Le mot *confiance* a pour lui un tout autre sens. Lorsqu'il dit que vous pouvez avoir confiance en lui, il veut dire que vous ne représentez pas exclusivement à ses yeux un objet sexuel. Cette définition tordue et réductrice est tout ce qu'il a de mieux à vous offrir ; il croit du reste qu'il n'existe pas mieux.

Des réactions avisées :

Recherchez si vous êtes, lui et vous, sur la même longueur d'onde et faites préciser ses mots et termes. Dans son optique, le vocable *confiance* est relatif et temporaire. Ce qui est vrai l'est sur le moment.

Avant de progresser dans cette relation, prenez appui en vous et en vos intuitions. Votre confiance se mérite.

13. Il manipule votre sens de l'engagement sentimental.

Vos réactions possibles :

Il obtient de vous tout ce qu'il veut, que ce soit sur le plan sexuel ou sur celui de l'exclusivité. Il gagne. Qu'il veuille emménager chez vous, se fiancer ou se marier, votre cœur lui est ouvert. Votre dernier nœud de résistance a fondu et vous êtes prête à accorder l'engagement qu'il veut de vous.

Vous y avez réfléchi et vous savez ce que

vous entreprenez. Vous comprenez le sens du mot *engagement* et n'avez pas peur d'accueillir cet être en vous. Vous saurez construire une belle relation. Evidemment, vous l'imaginez dans les mêmes dispositions que vous.

Vous êtes sereine. Vous vous laissez guider par ses désirs avec la certitude que c'est le commencement d'une merveilleuse histoire d'amour. Il ne vous vient pas à l'esprit que cela puisse être le commencement de la fin.

Son ordre du jour :

Il a parachevé son fantasme. A l'heure actuelle, il dit faire face à la réalité. Il n'a aucune idée de l'importance de l'engagement dont vous lui avez fait cadeau. Pourtant, il n'a pas été tranquille tant qu'il ne l'a pas obtenu. Au moment même où il le reçoit, il ne sait plus quoi en faire. Pendant quelques instants, il se sentira merveilleusement bien. Et puis la terre va trembler.

Des réactions avisées :

Vous êtes au moment clef de la relation. S'il ne vous a pas clairement indiqué qu'il comprenait ce qu'il comptait obtenir de vous, ne faites pas un pas de plus.

Ne commettez pas l'erreur de croire qu'il a donné à ses mots et à ses actions le même sens que vous leur auriez donné.

Il vous a convaincue que vous teniez une grande place dans sa vie. Ne commencez pas à agir et à penser avec la loyauté et la dévotion d'une bonne épouse. Vous n'en êtes pas là. S'il affirme être prêt à s'engager, son engagement devrait être aussi sérieux que le vôtre.

Ensemble vous devez évaluer la portée de ce geste.

S'il laisse traîner des zones grises dans sa vie, si sa manière de répondre vous semble vague, pourquoi parler d'engagement majeur comme le mariage ou la cohabitation ? Si vous percevez son recul ou son hésitation, restez-en là.

Tous les engagements doivent être mutuels, après avoir bien envisagé leurs conséquences.

S'il répond à toutes ces exigences et que vous croyez pouvoir interrompre votre lecture ici, souvenez-vous quand même : Une relation saine demande que vous demeuriez indépendante, que vous gardiez du respect pour vous-même et, surtout, que vous sachiez reconnaître et remplir vos besoins, en d'autres mots, que vous sachiez vous aimer.

8

Deuxième acte: L'amour conquis, sa phobie surgit. Vous êtes désemparée.

Le premier acte se termine lorsque le phobique s'éveille de son fantasme en réalisant que non seulement vous êtes conquise mais que vous pensez à long terme. Au début, sa préoccupation était de vous séduire pour vous retenir. A l'heure actuelle, il se sent désiré, son souhait est exaucé et il en ressent de la confiance, de l'assurance, assez pour qu'il commence à entrevoir les conséquences. Son bien-être déclenche la perspective d'une relation durable. La peur le saisit. L'angoisse l'attrape. Comment sortir de l'impasse? Il a généralement deux issues. Celle de frustrer vos attentes en vous excluant de ses projets personnels ou familiaux ou en diminuant sous de faux prétextes le temps que vous passez ensemble. Celle aussi de vous tenir pour responsable, en découvrant en vous tant de failles, de n'être plus la femme qu'il lui faut.

Auparavant, il vous plaçait sur un piédestal, maintenant il ne tolère plus le moindre défaut.

Lorsque la relation a atteint ce stade, c'est qu'elle a suffisamment avancé pour que l'homme ressente une véritable attirance et que ce début d'amour même fasse surgir en lui la phobie qui l'empêche d'aimer. Plus le temps passe, plus la contradiction gagne. Il fait un pas et éprouve tant d'angoisse qu'il recule de deux. Il est soulagé, mais l'homme en lui souffre de votre absence. Il s'approche à nouveau. La phobie l'empoigne. Il repart. Chaque fois qu'il revient, vous reprenez confiance. Vous pensez qu'il s'apprivoise. Vous attendez plus d'avances. Sa terreur grandit. Ni prêt à couper vos liens ni prêt à faire durer la relation, il est dans un terrible étau.

La panique causée par la phobie qu'il n'identifie pas plus que vous surpasse toute loyauté envers vous. Il sait peut-être qu'il vous a menée lui-même à votre attachement, il en ressent profondément une sourde satisfaction, mais la peur gronde et chaque vision de bonheur le traque et l'enferme.

De votre côté, vous vivez tout autre chose. Vous êtes amoureuse. Tandis qu'il passe au crible vos moindres défauts, vous minimisez les siens... Il n'est ni vraiment beau, ni vraiment riche, ni vraiment ce que vous aviez souhaité, mais il vous aime. Vous ne vous posez plus de questions inutiles. De son côté, tout ce que vous croyez assuré est remis en question. Vous pensez à long terme, il n'a qu'une idée : en finir avec cette perspective. Un nouveau rapport de forces ne tarde pas à se vivre. Mais vous tardez à le prendre au sérieux. Aidée de sa dénégation, vous niez vous-même l'évidence. Vous vous faites confiance pour ramener la relation à ses débuts. Vous prenez sur vous des responsabilités qui ne sont pas les vôtres. Vous croyez que par votre amour il va redevenir le séducteur épris qu'il était au début.

Est-ce possible qu'une femme naisse avec l'inclination naturelle et irrésistible de faire durer les relations d'amour ? Aurait-elle, innés, la tolérance, l'apitoiement, la compréhension et le pardon ? Chaque fois que vous manifestez envers lui ces attitudes, le nœud l'enserre toujours plus. Il craint désormais comme la peste vos marques d'amour. Devant ses faits et gestes, il ne sert à rien de miser sur tous vos efforts pour le rassurer. Il ne vous est pas plus utile de voir ce que vous voulez croire et d'ainsi vous fermer à ce qui se passe.

Votre endurance vient de ce que cet homme paraît vous être vraiment attaché. Ce n'est pas le contraire de la vérité, même si d'autres faits témoignent de son acharnement à détériorer la relation. Ce que la réalité devrait vous dire, c'est que la force de sa phobie le submerge de plus en plus, l'amène à briser vos rapports amoureux. C'est dans la pleine lucidité du processus phobique que vous pouvez vous être utile. A vous-même d'abord et à lui-même ensuite.

Si vous décidez de faire d'une plante chétive une plante fertile, vous devez la couper, la bouturer, la replanter dans un nouveau pot avec de la bonne terre. Si vous ne faites que l'arroser, elle finira par pourrir. Dans le cas même où vous lui donnez tous vos soins, ce sont ses aptitudes à vivre qui les lui feront utiliser. Jamais on ne peut faire l'ouvrage des autres à leur place.

Le schéma typique :

1. Il semble faire marche arrière comme s'il était menacé. Il n'appelle plus aussi souvent et se montre moins attentionné.

Vos réactions typiques :

Vous êtes sous son charme. Vous n'avez pas la moindre idée du conflit qui se prépare. Tout ce qui peut arriver, selon vous, est qu'il va vous aimer encore plus à l'avenir comme vous vous apprêtez vous-même à le faire.

Vous ne remarquez pas le changement dans son attitude. Vous agissez comme s'il était encore cet homme qui a tant besoin de votre amour et de votre disponibilité. Vous êtes tellement occupée à l'entourer de chaleur et de stabilité que vous ne reconnaissez ni n'évaluez les premiers indices de son recul. En fait, il se peut que vous les pressentiez mais que vous leur donniez une mauvaise interprétation, ce qui vous pousse à surenchérir vos attentions pour le sécuriser. Son angoisse n'en fait que croître géométriquement.

Son ordre du jour :

Du moment précis où il vous a conquise, il commence à se cogner contre la notion de « long terme ». Il reconnaît les premiers symptômes de sa phobie et cela lui fait peur. Il sait qu'il est l'artisan de vos légitimes attentes de lui mais, soudainement, il n'est plus du tout certain de vouloir les remplir. Le pourrait-il ? Il se sent prisonnier de l'intimité de votre liaison. Quelque chose lui dit de battre en retraite. Il ne se préoccupe plus de vous conquérir. Il cherche même à se détacher de vous. Ces réactions paraissent étranges vues de l'extérieur, consécutivement à l'ardeur de sa cour à votre égard.

Des réactions avisées :

Le premier indice de recul doit vous alerter. Votre première réaction pourrait être de vous rapprocher de lui pour le seconder dans ce qu'il vit. Pourtant, il ne sert à rien de rassurer un vrai phobique puisque c'est cette sécurité affective qui réveille son conflit.

En reconnaissant plutôt ce qui arrive, c'est-à-dire que vous êtes en relation avec un homme qui considère l'intimité comme un piège, vous cessez d'agir à côté.

Si vous pensez que cet homme vaut vraiment la peine, par vos actions plutôt que par vos paroles vous lui faites savoir que, même si vous l'aimez, vous ne l'étoufferez pas sous vos sentiments.

Votre indépendance non agressive, le respect de vos propres intérêts, la priorité que vous saurez vous accorder peuvent le soulager. Il doit être évident pour lui — comme pour vous — que votre vie ne dépend pas de la sienne.

2. Ses intentions étaient autrefois transparentes. Ses paroles et ses actes émettent à l'heure actuelle des messages confus.

Vos réactions possibles :

Nous avons tous une écoute sélective pour les messages que nous voulons entendre, et davantage en cas d'insécurité et d'impuissance. Jusque-là, vous n'avez vu que ses bons côtés. Vous estimez avoir de la chance d'être en relation avec un être si merveilleux qui déploie son amour de tant de manières. Est-ce possible qu'il change si radicalement ?

Son ordre du jour :

Il se trouve dans le premier stade de sa contradiction viscérale. Vous lui plaisez beaucoup. Il se peut même qu'il vous aime. Il apprécie la confiance qu'il a en vous et ne tient pas à ce que vous le quittiez. Mais il vit sa déroute intérieure. S'il vous la livre, votre relation en pâtira. C'est hors de question. Mais il n'aime pas que vous entreteniez des espérances, alors il demeure volontairement dans le vague lorsqu'il vous exprime ses sentiments.

Ses comportements contradictoires varient selon les situations. Ainsi, lorsque vous êtes seuls, il peut se montrer passionné et amoureux, mais lorsque vous vous retrouvez en couple au sein d'un groupe, il fait volte-face comme pour dénoncer le lien qui existe entre vous.

Peut-être vous trouve-t-il encore formidable, mais sous la menace du mot *toujours*, votre auréole se met à pâlir. Il commence à recenser vos côtés négatifs et un conflit sans fin le mine. Son esprit angoissé ne peut que vous envoyer ses messages nébuleux et contradictoires.

Des réactions avisées :

D'une part, vous recevez des fleurs et, de l'autre, le pot. Il faut être perspicace pour élucider la contradiction.

Un moment d'amour devrait être un moment heureux. Ce ne l'est pas pour lui et pour des raisons que vous n'arrivez pas à saisir. Quelque chose se passe, seuls votre vigilance et votre parti pris pour vous vous mèneront à cerner la peur qu'il éprouve. Posez-lui quelques questions. Est-il tracassé parce qu'il craint de s'impliquer ? Pourquoi ne décidez-vous pas ensemble que, pendant un temps, le mot *engagement* sera tabou ? Vous pourrez après réévaluer votre relation et partager ce que vous ressentez.

La chose primordiale est d'empêcher cet antagonisme de devenir une force permanente et sournoise qui vous envahisse tous les deux.

3. Il vous indique clairement que certains éléments importants de sa vie sont étiquetés « zone interdite » : ses amis, sa famille, son travail, dont il vous exclut. Il a d'ailleurs pour cela d'excellentes raisons.

Vos réactions possibles :

Cela vous fait mal. Vous avez l'impression d'être une intruse mise à l'écart de son groupe et vous ne savez pas comment y remédier. Sa cruauté vous surprend. Vous n'y comprenez rien et cherchez la faute ailleurs. Vous vous dites, par exemple, qu'il doit avoir honte de vous.

Son ordre du jour :

C'est vrai, de grands pans de sa vie vous sont interdits. Il craint que vous ne vous immisciez dans son existence au point où il ne pourra plus s'échapper. Il sait qu'il vous fait de la peine et c'est pour cela qu'il se justifie plutôt que de dire la vérité. Il est conscient que sa conduite sape votre amour-propre, mais ce n'est pas suffisant pour oblitérer son angoisse à l'idée de vous inclure dans son existence.

Il vous ramène toujours devant des frontières que vous ne pouvez franchir. Il cherche à ne pas entretenir de faux espoirs.

Des réactions avisées :

C'est le moment limite où vous devez agir avant que la situation n'empire. Il sait très bien ce qu'il fait lorsqu'il vous cause de la peine. Aucune excuse n'est acceptable pour ce genre de cruauté mentale. N'adhérez pas à *son* jeu.

Demandez-vous quelle réaction vous auriez si un de vos amis vous traitait de cette manière !

Votre réplique devrait toujours être proportionnelle à sa conduite. Dites-lui qu'il vous fait de la peine même s'il pense que vous voulez ainsi le prendre au piège. N'attirez pas sa compassion. Imposez le même type de limites que les siennes. Vous tomberez sur un terrain d'égalité d'où vous pourrez transiger. A condition que vous le désiriez.

4. Il supporte mal les rencontres avec votre famille et vos amis. Il a peur qu'il s'en trouve un pour voir un peu trop clair dans son jeu.

Vos réactions possibles :

Vous aimeriez qu'il participe aux événements importants de votre vie et qu'il aime ceux que vous aimez, mais il les évite ou n'agit pas comme à l'accoutumée quand il est avec eux. Il vous arrive de mettre le blâme sur votre entourage.

Son ordre du jour :

Lorsqu'il se trouve à l'abri, seul avec vous, il peut entrer dans son rôle, mais en présence des vôtres, il a l'impression d'être un imposteur. Il pense que ce mot est inscrit sur son front en lettres lumineuses. Tous s'attendent qu'il vous épouse et cela le met au cœur de ses incertitudes.

Des réactions avisées :

Votre famille et vos amis voient ce qui se passe. Il y a longtemps qu'ils vous connaissent. Ils éprouvent de la loyauté envers vous et ils sont perspicaces envers lui. N'allez pas vous imaginer que personne, à part vous, ne comprend votre ami. Ne vous détachez surtout pas de votre famille et de vos amis pour lui être loyale. Ne jouez pas l'acte du « lui et moi contre le reste du monde ».

5. Vous n'êtes plus sa priorité et il a pour cela toutes les excuses du monde.

Vos réactions possibles :

Vous ne remarquez pas d'emblée le changement. Vous avez été tellement impressionnée par la persévérance de sa cour que vos actions en découlent encore. Lorsque la différence se fait sentir, vous acceptez ses excuses. Trop de travail, trop de soucis. Il est facile de croire, comme il le dit, que sa nouvelle manière d'agir est temporaire. Votre relation prend un caractère routinier.

Son ordre du jour :

Vous soulevez trop de craintes en lui et vous perdez de votre importance à ses yeux. Il prend les moyens pour que vous vous en rendiez compte. Bien entendu, cela ne doit pas faire rompre votre relation. Il invente donc des stratagèmes et espère que vous lui laisserez prendre ses distances en demeurant la même. Il ne remarque pas qu'il vous confère le rôle de l'épouse docile.

Le scénario peut être celui-ci. Au lieu de vous rencontrer chaque vendredi, samedi et dimanche, il veut limiter vos rendez-vous à la soirée du samedi. Il doit travailler en surplus. Peut-être ira-t-il jusqu'à vous appeler plusieurs fois durant ces jours-là. En somme, il n'est plus certain de ce qu'il veut, il a besoin d'éloignement et vous prépare à lui accorder du temps libre sans toutefois en finir là.

Des réactions avisées :

Ne vous imaginez pas que sa conduite est temporaire. Il n'est ni un mari de longue date ni l'homme qui a su graduellement gagner votre confiance. C'est un prétendant qui, après vous avoir promis monts et merveilles, subtilise le tout. Ne pas en tenir compte va vous amener beaucoup de déboires.

Pourquoi jouer à l'épouse complaisante ? Vous

n'êtes pas sa priorité ? Il n'est pas la vôtre. La vôtre est de voir clair.

6. Ses habitudes sexuelles changent et il vous remet subtilement le rôle d'agresseur.

Vos réactions possibles :

Vous remarquez immédiatement le changement. Vous tentez de l'expliquer comme un phénomène normal de stabilisation de votre relation. Si sa nouvelle conduite se perpétue, vous vous sentez évidemment rejetée et vous vous demandez ce qui en vous a pu provoquer sa baisse de libido.

Son ordre du jour :

Dans son esprit, comme dans le vôtre d'ailleurs, qu'y a-t-il de mieux que l'intimité sexuelle pour cimenter une relation ? Par conséquent, il doit transformer son attitude pour bien vous faire comprendre qu'il se refroidit. Certains hommes, par exemple, changent de style. Le romantisme fait place à la performance. Pour d'autres la nouveauté réside dans leur manque d'initiative. Souvenez-vous de ce qu'il était au début : prêt à détacher lui-même chaque petit bouton, à tamiser l'éclairage et à fermer la porte à clef. Maintenant, prendre l'initiative signifierait qu'il continue à garder la responsabilité de la continuité de la relation. Si c'est vous l'initiatrice, il sera plus à l'aise de continuer à vous allumer.

Des réactions avisées :

Ne prenez pas l'initiative et la responsabilité de votre sexualité commune en pensant que cela influencera positivement votre relation. Restez-en à la réalité. Il est naturel que vous vous sentiez rejetée et insécurisée. Faites confiance à vos perceptions. Le lien qui vous unit ne se fortifiera pas chaque fois que vous faites l'amour. Il n'a pas perdu tout intérêt pour vous, c'est du lien dont il a peur.

Ne fantasmez pas que sa libido diminue parce qu'il couche avec d'autres femmes. S'il a envie de vous tromper, il le fera même si vous vous montrez une amante passionnée, *justement* parce que cette passion et cette tendresse le mettent en panique.

7. Il décide des moments qu'il consent à vous consacrer sans tenir compte de votre disponibilité. Le monde entier semble avoir priorité sur le cours de votre relation.

Vos réactions possibles :

Vous avez compris qu'à moins d'ajuster votre emploi du temps au sien, il n'a aucun moment libre pour vous. Alors vous vous adaptez, mais ses nouveaux « règlements » vous dérangent. Ils détruisent également la spontanéité et le cours naturel d'une relation. Vous vous sentez frustrée et déprimée. Vous découvrez un homme différent que vous tentez de ramener à ce qu'il a été en le rendant heureux.

Son ordre du jour :

Il veut briser le cours de votre relation. Pour cela, il met des barrières. Sa façon d'établir son emploi du temps indique qu'il crée des impossibilités que lui seul peut transformer lorsqu'il en a envie. Voici quelques exemples :

— Il passe la nuit du samedi chez vous sans jamais rester plus tard que 10 heures le dimanche matin.

— Il ne fait aucun projet de vacances pour vous deux.

— Il disparaît pendant les vacances.

— Vous ne pouvez jamais le visiter à l'improviste.

Des réactions avisées :

Ne faites pas coïncider votre emploi du temps avec le sien. Si vous vous mettez en quatre pour y arriver, il ne pourra pas faire autrement que de le remarquer. Si vous jouez à la femme de marin, il se sentira plus menacé, car cela lui indique que vous pensez à long terme. Ne vous querellez pas à propos de son emploi du temps. Ne tentez pas de menacer ou de négocier inutilement. Commencez plutôt à dresser vos propres plans. Occupez-vous de vous-même, poursuivez vos propres intérêts.

Malheureusement, la majorité des femmes supportent les limites imposées par leur amant. Elles se convainquent qu'il existe une bonne raison à ces restrictions temporaires. En général, il n'y en a pas. Il agit sciemment pour garder une porte ouverte et sortir quand il ne pourra plus faire autrement, sans cependant vous permettre la réciproque. Aucune relation ne peut survivre à une telle iniquité.

8. Il réagit comme si vous lui exprimiez des ordres et ne supporte pas que vous comptiez sur lui. Il indique par ses distances qu'il ne tient pas à ce que vous ayez des exigences.

Vos réactions possibles :

Vous avez l'impression de marcher sur des œufs. Vous ne demandez rien. Vous voulez le rendre heureux, mais vous commencez à vous apercevoir que vous êtes la seule à faire des efforts.

Vous avez souvenir de l'homme qu'il était lorsqu'il était prêt à faire n'importe quel excès pour vous plaire. Vous pensez que c'était sa conduite normale, que celle que vous connaissez à l'heure actuelle est temporaire. Vous commencez à lui parler de sa mère pour essayer de découvrir les exigences qu'elle lui a certainement imposées dans son enfance — une enfance sans aucun doute très malheureuse.

Vous croyez encore qu'il y aura égalité entre ce que vous faites pour lui et ce que vous recevrez de sa part.

Son ordre du jour :

Tout ce qui aurait la capacité de vous rendre dépendante le fait réagir exagérément. Il s'imagine que s'il fait un geste bon pour vous, vous allez obligatoirement en demander davantage. Il ne veut pas que vous comptiez sur lui comme sur un mari et se considère comme lié s'il doit collaborer aux courses, à la préparation d'un dîner, ou vous accompagner au mariage de votre cousin. Il aimerait que vous ne gardiez aucun souvenir de ce qu'il était au début.

Des réactions avisées :

C'est vrai, vous devez oublier les débuts idylliques et ne plus tenir pour acquis qu'il est ce même homme qui repeignait votre cuisine ou faisait 120 km pour passer une soirée avec vous. Cette époque est révolue.

N'excusez pas sa conduite. Il agit de cette façon parce qu'il ne veut pas se faire prendre dans les filets de l'engagement. Il ne veut pas singer le rôle de l'époux. Ne singez donc pas celui de l'épouse. Soyez indépendante.

Si votre réelle indépendance transforme sa conduite, vous pourrez peut-être travailler à reconstruire la relation avec des règles du jeu différentes.

Entre-temps, demandez-vous pourquoi entretenir une relation à sens unique simplement en souvenir des quelques semaines de bonheur révolu. Allez au fond de la question.

9. Il ne semble pas écouter vos propos et prête de moins en moins attention à vos besoins.

Vos réactions possibles :

Vous faites de plus en plus attention à tout ce qu'il dit. Vous décortiquez et analysez ses propos. Vous passez beaucoup de temps à parler de lui. Il est même possible que vous pensiez à suivre une thérapie, à en discuter avec un professionnel.

Qu'est-il arrivé ? Au début, vous avez trouvé un amant et votre meilleur ami. Maintenant, il n'est plus question de converser et encore moins de soulever les problèmes qui surgissent dans votre relation. Il n'est plus intéressé.

Quelque chose a dû mal tourner, quelque chose que vous avez de la difficulté à percevoir, et vous vous demandez si vous ne vivez pas un énorme quiproquo. Pour comprendre, vous analysez encore plus minutieusement la situation. Mais vous le faites seule.

Il peut arriver que vous vous obstiniez à discuter du problème avec lui. Vous tâchez d'être compréhensive et de l'aider en jouant à l'apprentie psychologue.

Son ordre du jour :

Pour lui, vous êtes déjà de l'histoire ancienne. Au début, il vous montrait qu'il tenait à vous en vous donnant son écoute. Actuellement, sa manière de vous montrer qu'il appréhende le lien qui vous unit est de ne plus porter attention à vos propos. Il ne s'agit point là d'une question de priorité. Son attention n'est pas retenue par une foule d'autres choses importantes. Il ne veut tout simplement pas continuer ce qui fut. Il est inutile de vouloir le convaincre que vous êtes merveilleuse. Cela il le sait ; le problème n'est pas là. Il est simplement en train de vous effacer de sa vie et sa manière de le dire est de ne plus entretenir le dialogue.

Des réactions avisées :

Votre priorité n'est pas de lui parler, de l'écouter et de chercher à lui faire changer d'idée mais de ne pas avoir de discussion stérile à son sujet ni avec lui ni avec vos amis. Ne vous permettez pas d'être obsédée par lui. Ne laissez pas son problème vous envahir.

Vous n'êtes ni sa psychologue ni sa mère. Il ne vous revient pas de psychanalyser ses maux ni de bien ou mal les comprendre.

Lorsqu'il manque d'attention envers vous, n'en redoublez pas envers lui avec le secret espoir que la force de votre amour parviendra à modifier sa conduite. Il ne connaît pas vraiment la qualité de votre amour et là réside la plus grande partie du dilemme.

Investissez en votre propre bonheur. Interrogez-vous quant au bien-fondé de la poursuite d'une telle relation.

10. Vous êtes loyale, dévouée, intelligente et compréhensive. Il vous admire pour ces qualités de « bonne épouse », mais elles l'épouvantent.

Vos réactions possibles :

Il vous affirme qu'il vous respecte pour votre loyauté et votre honnêteté et vous redoublez d'ardeur. Il vous dit qu'il admire chez vous toutes ces qualités traditionnelles et vous réussissez à établir un schème de valeurs encore plus solides. Il respecte votre intelligence et vous laissez traîner vos livres de philosophie austère. Il est très content que vous partagiez les mêmes goûts musicaux et vous l'accueillez avec sa musique préférée. Il vous complimente sur vos qualités de cuisinière et vous investissez dans l'achat d'un robot culinaire...

Autrement dit, vous tenez pour acquis qu'il construit son lien sur vos mérites.

Son ordre du jour :

Ironiquement, il vous complimente pour toutes les qualités qui lui donnent la sensation d'être pris au piège. Ce sont là, pense-t-il, les vertus d'une bonne épouse et il s'efforce de les apprécier un peu plus encore. Lorsqu'il vous fait ce genre de compliments, il recourt à ce subterfuge pour tolérer ce qui pourtant le repousse.

« Tu ferais une bonne épouse, mais je ne suis pas sûr d'en vouloir... » se dit-il. Ne vous méprenez pas. Ces qualités qu'il estime vraiment ont le défaut de lui rappeler un engagement qu'il refuse.

Des réactions avisées :

Ne le prenez pas au mot. Ne passez pas plus d'heures dans votre cuisine, ne vous montrez pas plus compréhensive et ne calquez pas son idéal de l'épouse parfaite.

Ne croyez pas que ses compliments représentent la vérité et ne réglez pas votre conduite sur eux. Pensez à toutes les femmes qui ont jalonné sa vie. N'avaient-elles pas, elles aussi, ces qualités ? Si souvent, les hommes qui recherchent une bonne cuisinière pour en faire leur épouse finissent par suivre celle qui les entraîne au premier restaurant du coin plutôt que faire la cuisine.

Que de lucidité il faut pour départager le vrai du faux que l'on souhaite entendre ! Les mots du phobique contredisent ses actions, mais ce sont ces dernières qui parlent de sa plus intime réalité. Sachez les voir.

11. De nombreux problèmes se posent lorsqu'il doit vous rendre visite. Il ne trouve jamais de place pour garer sa voiture. Il ne dort pas bien dans votre lit. Vous habitez trop loin. Votre chat lui crée des allergies.

Vos réactions possibles :

Vous n'en finissez pas de lui présenter vos excuses. Vous essayez d'adapter votre environnement à ses besoins. Lorsqu'il vous a rencontrée, aucune difficulté ne l'empêchait d'être à l'aise avec vous et chez vous. Il est inadmissible qu'il vous demande à l'heure actuelle de vous acheter un nouveau lit ou de vous débarrasser de votre chat. Il serait plus inadmissible encore que vous lui obéissiez.

Son ordre du jour :

Il sait que ces problèmes n'avaient aucune importance il y a peu de temps. S'ils avaient quelque rapport avec le lit ou avec le chat, les solutions se trouveraient aisément. Toutes ses plaintes l'aident à rationaliser le fait qu'il passe de moins en moins de temps avec vous. Il ne veut pas de solution et il y a de fortes chances que si vous résolviez ses problèmes, d'autres se présenteraient qui seraient plus compliqués.

Des réactions avisées :

N'adaptez pas votre environnement à ses besoins. N'achetez pas un nouveau lit et gardez votre chat. Ou alors résolvez l'un d'entre eux et observez bien : Ces problèmes n'existent que dans sa tête.

S'il ne peut pas dormir chez vous, s'il a du mal à trouver un espace de stationnement pour sa voiture, s'il est allergique au poil de chat, faites-vous inviter à son appartement. Il n'aura qu'à préparer le dîner.

Il arrive qu'un homme joue ce scénario juste

après avoir emménagé chez vous. Des milliers de problèmes surgissent alors, dont il vous rend responsable. Laissez-le prendre la responsabilité des changements qu'il impose et observez.

Certaines de ses plaintes peuvent être le reflet d'ajustements mineurs à apporter à la vie de tous les jours dans votre relation. Elles peuvent aussi indiquer un problème plus sérieux. Testez et, de ce qui naîtra, vous tirerez vos propres conclusions.

12. Il commence à vous trouver des défauts et soulève des raisons obscures qui entravent le bon fonctionnement de votre relation. Il peut vous faire de la peine en vous soulignant vos supposées imperfections, spécialement si vous n'y pouvez rien (par exemple : « Je ne pense pas que mes parents t'accepteront parce que tu es — au choix — irlandaise, italienne, noire, blanche, juive, chrétienne, anglo-saxonne, petite, grande, divorcée, trop vieille, trop jeune, trop riche, trop pauvre, trop quelconque). » Il peut également stocker ces « défaillances » pour s'en servir et en finir. Ces « défauts » n'ont aucun lien avec des réalités de votre relation. Ils concernent votre personne. Il les connaissait au début, lorsqu'il vous faisait une cour assidue.

Vos réactions possibles :

Au commencement, ce genre de reproches ressemble à quelque plaisanterie et vous amuse plus ou moins. Ensuite, vous vous trouvez sérieusement atteinte et sur la défensive puis vous avez de la peine. Vous ne pouvez pas comprendre cette cruauté inutile. En dernier lieu, vous devenez furieuse.

Son ordre du jour :

Il se rend très bien compte qu'il avait été attiré par ces « défauts » qu'il appelait qualités lorsqu'il vous a rencontrée. D'autre part, il sait fort bien que ces qualités sont devenues des excuses pour l'aider à sortir de votre relation lorsqu'il faudrait qu'il s'engage. Ces prétendus vices de fabrication constituent les meilleurs prétextes de fuite, car on ne peut y remédier. Il sait que vous pouvez acheter un nouveau lit, perdre du poids, en prendre, modifier la couleur de vos cheveux, mais vous ne pouvez ni changer votre religion, ni votre taille, ni vos antécédents ethniques, pas plus que la condition financière de vos parents. Lorsqu'il tient ce discours, il n'exprime pas directement son désir de vous quitter... Il veut seulement vous aviser qu'il en aura le droit légitime lorsque vous dépasserez les bornes.

Ces « défauts » sont en quelque sorte une échappatoire pour sa défection future. Il demandera au besoin l'approbation de ses parents, de son avocat ou de ses enfants, comme il le faisait quand il était petit. Autrement dit, il ne peut vous épouser, car papa et maman ont dit non.

Des réactions avisées :

Est-il possible que vous ayez affaire à un goujat ? Rendre quelqu'un responsable de choses immuables est infantile et répugnant. Si ces prétendus défauts le dérangent à ce point, pourquoi vous a-t-il entraînée dans cette relation? Vous n'avez pas à vous justifier pour votre taille, votre religion ou votre appartenance à un groupe ethnique.

Ne pensez pas qu'il prendra un jour votre parti contre lui, contre cet aspect destructeur de sa personnalité. Certainement il ne pense pas tout ce qu'il dit, mais cela ne signifie pas qu'il agira en conséquence.

Qu'il se laisse entraîner par ce genre de méchanceté indique qu'il se trouve sous l'emprise de sa phobie à un niveau intense et qu'il ne peut pas arrêter le processus.

Il ne veut pas vous faire de peine, mais il le fait. C'est la réalité à laquelle vous devez faire face. Demeurez réaliste. N'acceptez pas que votre penchant pour lui vous amène dans un monde de chimères qui vous ferait attendre des excuses et un changement radical de sa part.

Pour changer, il devra le vouloir et y travailler d'arrache-pied.

Pour que votre douloureux malaise change, cela ne tient qu'à vous, qu'à votre lucidité qui peut voir son problème de phobie sous les symptômes et votre impuissance à y travailler seule.

13. Il sème des indices laissant soupçonner qu'il est à la recherche d'une autre compagne ou qu'il en a déjà rencontré une (souvent une de ses anciennes flammes).

Vos réactions possibles:

Vous commencez à soupçonner qu'il ait une aventure ou encore vous le prenez en flagrant délit. Vous êtes complètement déroutée. Le doute vous avait déjà traversé l'esprit, mais vous pensiez qu'il était trop occupé à vous conquérir. Vous vous imaginiez que son amour était authentique après tant de belles paroles. Vous lui faites subir votre interrogatoire dans le secret espoir qu'il efface tous vos doutes.

Son ordre du jour :

Le phobique endurci utilise en dernier atout une autre femme pour mettre un terme à chaque relation. Il ne veut d'ailleurs pas plus s'engager avec cette dernière qu'il ne le veut avec vous. Sa présence le rassure et elle lui fournit l'alibi pour se dégager de votre vie.

Ce genre de conduite peut se produire alors que vous étiez sur le point d'aiguiller votre relation sur une autre voie. Vous vous prépariez peut-être à vivre ensemble ou vous parliez mariage. Quoi qu'il en dise, il indique, ce faisant, qu'il est sur le point de disparaître. La relation a évolué jusqu'à un point de non-retour. La phobie le gagne.

Elle est telle qu'il ne peut ni voir juste ni évaluer les sentiments qu'il éprouve pour vous, ainsi que ceux que vous ressentez pour lui. Tout est vécu en fonction de sa peur. Il interprète ce que vous faites comme des manœuvres pour l'amener à s'engager. Votre délicatesse est une machination.

Il ne pense pas encore au piège qui l'attend avec l'autre femme. Il ne pense qu'à la bouée qu'elle représente et au moyen d'échapper à l'engagement avec vous.

Cependant, il n'a pas encore vraiment conscience qu'il est sur le point de vous quitter.

Des réactions avisées :

Il ne sert à rien de lui demander des explications. Il ne comprend généralement pas lui-même. Dans sa phobie, il navigue d'instinct. A vous de voir clair malgré le désarroi où vous plongent tant de contradictions.

Ce n'est pas en fouillant votre conduite, en vous culpabilisant de tous les torts, en minimisant les siens sous prétexte qu'il vit une phase difficile, que vous toucherez la réalité. Celle d'une phobie est irrationnelle. La discuter et même la psychanalyser ne la guérissent pas.

A toutes les étapes du comportement paradoxal de votre compagnon, c'est votre simple lucidité qui va tout sauver.

Psychologiquement, faites en sorte de conserver une bonne image de vous-même et ne vous laissez pas envahir par un sentiment de rejet. Repoussez l'idée d'être la seule personne à pouvoir lui venir en aide. Cela pourrait vous conduire en droite ligne à la dépression nerveuse. Vous êtes la personne à aider. Coupez ce lien que vous faites entre devenir plus désirable et croire que vous gagnerez son engagement. Sa peur d'aimer est au-delà et en lui-même. Lui seul peut la déloger.

14. Il a une liaison avec une autre femme, mais il continue d'affirmer que vous êtes la personne la plus importante pour lui.

Vos réactions possibles :

Vous ne voulez pas vraiment le croire lorsqu'il vous ment, mais c'est ce que vous préférez faire. Ses explications vous soulagent tellement que vous passez complètement à côté des faits et des indices. Il vous fait comprendre ou dit clairement que vous êtes la personne qui prend le plus de place dans sa vie et, pour vous, c'est tout ce qui compte. Cependant, vous êtes découragée, angoissée, insécurisée et mal en vous-même.

Son ordre du jour :

Il ment, car il sait que la vérité serait le coup de grâce pour votre relation et il n'est pas certain que c'est ce qu'il veut. Il ne se rend pas compte à quel point cet état de choses vous rend malheureuse. Son propre problème et sa propre angoisse l'obsèdent. Il essaie désespérément de vous faire comprendre qu'il ne peut s'engager de manière permanente, pas plus dans l'avenir que dans l'instant présent.

Des réactions avisées :

Ne fermez pas les yeux. Ne vous querellez pas. Comprenez juste que, quoi que vous fassiez, son angoisse de vrai phobique n'en sera pas allégée.

S'il y a une nouvelle femme dans le tableau, résistez à l'impulsion première qui vous dicterait un plus grand rapprochement pour ne pas perdre votre place. Cette conduite est loin d'être indiquée. S'il sort vraiment avec d'autres femmes, la peine qu'il vous occasionne alors devrait vous forcer à reconsidérer si, oui ou non, vous pouvez vous permettre d'accepter un tel traitement. Eloignez-vous, regardez en témoin. Si vous persistez à croire que vous l'aimez et que vous voulez que la relation se poursuive, voilà une raison supplémentaire pour prendre de la distance. C'est la seule conduite qui porte en puissance des remises en question.

Le problème à résoudre n'est pas de connaître la profondeur de ses sentiments pour vous. Il ne sait même pas les faire vivre en lui. Il utilise d'autres femmes pour se dégager des angoisses d'aimer. L'intimité est la cause majeure de son problème. Un surplus ne le soulagerait pas. Le mot clef est *distance* pour lui comme pour vous.

15. Il est en grand tourment et peut réagir à l'idée de votre éloignement en promettant de changer. Il se peut même qu'il pleure.

Vos réactions possibles :

S'il est bouleversé par votre éloignement, vous pousserez peut-être un soupir d'aise, croyant qu'il a finalement vu la lumière. S'il promet de changer, c'est ce que vous désirez. S'il pleure, vous vous blâmez et êtes sincèrement émue. En quelques heures, vous voilà à nouveau prête à accepter ses méfaits.

Son ordre du jour :

Si vous cherchez à mettre fin à la relation, il sera lui-même surpris de la peine qu'il éprouvera. Ses tentatives pour vous garder à distance ont réussi mais il se retrouve coupé d'une relation qu'il n'était pas prêt à rompre. Il éprouve de véritables sentiments pour vous. C'est ce qui le tourmente. D'une part, il veut votre présence et, de l'autre, il la repousse. C'est à n'y rien comprendre.

Des réactions avisées :

Quoi qu'il dise, ne vous fiez pas à ses promesses de changement s'il n'indique pas clairement la manière qu'il compte utiliser pour y arriver. Un vague « J'essaierai » ou « J'aimerais bien » ne suffit pas. Son besoin d'aide pour y arriver est au moins aussi grand que le vôtre. Si vous laissez les evénements reprendre leur cours, il y a de fortes chances pour que vous rechutiez.

Vous ressentez avec raison sa vulnérabilité dans ses pleurs et dans ses promesses de changer, mais elle est éphémère. Vous avez à changer, vous aussi, à miser sur votre santé émotive.

Cette crise peut être l'occasion de profonds changements dans la relation, à condition d'être prête à vous distancer et à vous conduire différemment. Mais comment faire des transformations majeures de manière graduelle sans recevoir d'aide extérieure ? Envisagez sérieusement une thérapie de couple en complément éventuel de thérapies individuelles.

16. Malgré tout, rien ne change. Il ne permet pas à la relation de s'épanouir et ne veut même pas en parler.

Vos réactions possibles :

Vous n'insistez peut-être pas pour obtenir un engagement définitif, mais vous voulez qu'il fasse preuve de bonne foi. Vous ne voulez pas perdre votre temps. Vous ne supportez plus sa manière de vous ressasser : « Ce n'est pas parce que je ne t'aime pas... »

Et vous vous dites, la mort dans l'âme : comment peut-il me faire autant de peine et dire qu'il m'aime ? Sera-t-il un jour prêt à s'engager ? Réorientera-t-il sa vie pour que je devienne une de ses priorités ? Pourquoi continue-t-il à mentir si cela ne doit déboucher que sur l'orchestration du vide ? Pourquoi m'exclut-il des autres parties de sa vie ? Pourquoi ne me donne-t-il pas dans sa vie autant de place que moi je lui en donne dans la mienne ?

Peu importe que vous tentiez d'avoir une conversation sereine, que vous éclatiez en sanglots ou en hurlements, il refuse de discuter du problème et demeure inerte. Vous avez la certitude qu'il vous aime, mais alors comment comprendre qu'il puisse être aussi borné ? Vous vous imaginez qu'il agit par autodestruction. Vous voulez qu'il aille en thérapie ou qu'il parle de ses problèmes avec quelqu'un d'autre et que vous entrepreniez une thérapie de couple. Il a très bien compris, comme les personnes autour de lui d'ailleurs, que vous ferez tout pour sauver votre relation, mais vous n'avez aucune idée de la façon d'y parvenir.

Son ordre du jour :

Il ne veut rien faire pour protéger la relation ni rien changer à sa conduite. Il ne veut même pas en discuter, car cela serait susceptible d'apporter des solutions et les solutions apporteraient l'enfer.

La relation ne peut demeurer telle qu'elle est. Il en a la preuve quand vous vous plaignez et que vous l'interrogez. Et pourtant, il ne veut pas qu'elle se développe. Autrement dit, il n'y a pas d'issue.

Des réactions avisées :

Il ne veut rien accomplir pour la réussite de la relation, c'est un fait. Il ne veut pas de changements, c'est un autre fait. N'agissez pas comme s'il était le seul à porter ce problème, sûre qu'en vous oubliant vous pouvez l'aider. S'il désire de l'aide, il doit la trouver lui-même. N'expliquez pas les bonnes raisons pour lesquelles il devrait normalement vouloir connaître une relation adulte. N'essayez pas de le convaincre que vous êtes quelqu'un de bien. Ne recherchez pas les subterfuges pour gagner quelques points. N'essayez pas de lui faire reconnaître qu'il souffre, qu'il a un problème. Il en a un, c'est certain, mais vous aussi. S'il n'entrevoit pas davantage pour vous deux, toutes les conversations du monde n'y changeront rien.

Le mieux à faire est de suivre votre propre chemin. Votre absence en dira plus long que mille mots. S'il ressent un vrai sentiment de perte, son désir de changement n'en sera que plus véridique. Rien d'autre de vous n'aurait pu le mettre en œuvre. Je reconnais la dureté de mon conseil, sa difficulté à être suivi, mais lorsqu'une relation est sans issue la conduite la plus sensée est justement de bifurquer, de changer de parcours et de compagnon de route.

9

Troisième acte: Sa phobie dévore vos amours

La phase finale débute lorsque les deux partenaires se rendent compte que la relation ne peut plus se poursuivre sans changements majeurs. Seul un engagement de sa part pourrait recimenter les rapports.

La fin est généralement provoquée par un événement extérieur tel qu'une période de festivités, un mariage familial, une maladie ou des vacances. Ces événements mettent le phobique en face d'un choix. S'il vit ces événements avec sa compagne, il fait preuve d'un engagement vis-à-vis des tiers; s'il l'exclut, il lui fait comprendre qu'ils ne forment pas véritablement un couple. Bien qu'il éprouve des sentiments de culpabilité et qu'il réalise ne pas pouvoir continuer à l'exclure ainsi, sa phobie ne lui permet pas de changer sa conduite.

Précédemment, il ne distinguait pas les sentiments qu'il éprouvait. Maintenant, il les reconnaît. Il ressent davantage d'angoisse lorsqu'il se trouve avec sa compagne que lorsqu'il

est sans elle. S'il pouvait prendre une dé
sion, il opterait pour la séparation immédia

Puisqu'il s'agit d'un phobique, sa difficul
à prendre une décision dans un sens ou dan
un autre lui fait la vie difficile. Il préfère se
laisser bousculer par les événements, les prendre pour justifications en laissant à sa partenaire la responsabilité du déroulement.

Tout ce qu'il fait dit implicitement sa sortie prochaine. Il se peut qu'il vous pousse à la récrimination pour vous incriminer l'acte final.

Il a tellement fait basculer vos repères que vous oscillez entre l'angoisse et la dépression au lieu d'être lucide et de voir où le mal se place.

Le schéma typique :

1. Son attitude envers vous a complètement changé et il vous fournit des indices sur sa sortie prochaine.

Vos réactions possibles :

Voici une réaction souvent recueillie : « Je n'avais pas la moindre idée que notre relation était sur le point de s'achever. Je pensais, somme toute, que nous avions vécu tant de bons et de mauvais moments que nous arriverions à résoudre cette crise. Je voulais qu'il s'engage, et j'étais prête à attendre le temps nécessaire. »

Il est tentant de rationaliser sa conduite et d'accepter ses fausses justifications. Vous vous mettez en veilleuse ou en colère et pourtant ce n'est pas parce que vous jouez à Pénélope qu'il se transforme en Ulysse.

Son ordre du jour :

Il est écartelé entre ses sentiments contradictoires. Il se sent à la fois prêt à tout laisser et coupable.

Comme il ne peut ni vous faire face ni s'expliquer ce qu'il ressent, ses malaises s'expriment d'une manière détournée. Ses comportements reflètent son incapacité d'agir loyalement.

- Il dit vouloir déménager, changer de ville ou partir pour un long voyage seul.
- Il laisse traîner des preuves qu'il rencontre une autre femme. (Il peut même s'arranger pour que vous le surpreniez en flagrant délit.)
- Il vous critique et vous provoque dans le but de vous faire sortir de vos gonds.
- Il passe le plus de temps possible loin de vous, en se justifiant par : « Je dois réfléchir à ce que je dois faire », « Il faut que je pense à nous... »

Il paraît triste et perturbé. Il est conscient que s'il attire votre pitié, vous passerez l'éponge sur ses faiblesses. Il se sait le principal responsable de cette situation et saisit que vous vous attendez à plus, mais il espère le miracle qui effacerait tout.

Des réactions avisées :

Ne le prenez pas en pitié. N'essayez pas de vous montrer la bonne partenaire, la plus forte ou la plus adulte. C'est vous la personne blessée, pas lui.

Pourquoi gaspiller tant d'énergie à essayer de changer ou d'aider quelqu'un qui y est opposé ?

Si vous avez atteint ce point, ne persistez pas. Tout ce chantage vous fait trop de mal.

S'il accepte d'aller en thérapie, des voies pourraient s'ouvrir. Jusque-là, ne vous faites pas souffrir inutilement.

2. Il passe de moins en moins de temps avec vous et ne prend même pas la peine de vous fournir des explications.

Vos réactions possibles :

Jusqu'à maintenant, il n'a jamais dit directement qu'il voulait rompre. En fait, il continue même à le nier. Vous continuez à le questionner sur ses actions et vous croyez ce qu'il raconte. Que d'attentes, de frustrations, de querelles, de pleurs dans cette relation !

Son ordre du jour :

Il espère, pour soulager sa conscience, que vous vous habituerez à vous passer de lui, que sans doute vous ne vous apercevez de rien.

Un homme s'est ainsi décrit : « C'est comme si je regardais mon image dans la vitrine d'un grand magasin. J'ai reculé de deux pas et j'ai disparu… Cela n'a demandé que deux ans… »

Il aimerait tellement se réveiller un matin et ne plus voir son image dans la vitrine.

Des réactions avisées :

Ne l'appelez pas. Ne lui écrivez pas. Ne l'attendez pas. Ne lui demandez pas la permission d'aller le voir. Ne dressez aucun plan pour des réceptions en espérant qu'il viendra. Pourquoi tant essayer d'attirer l'attention d'un homme qui n'en a plus que pour sa fuite ?

Perdez la mémoire... Oubliez que vous l'avez rencontré. Réorganisez votre vie. Si cela signifie aller en thérapie, allez-y. Sortez. Demandez du soutien à vos amis. S'il vous appelle, coupez court.

C'est un moment triste, c'est sûr, mais dans les circonstances, avec un phobique, c'est un point de non-retour.

3. Il insiste pour conserver sa bulle intacte et s'attend à beaucoup de complaisance de votre part.

Vos réactions possibles :

Vous vous souvenez de son ouverture du début et espérez que si vous lui êtes soumise, il réalisera qu'un engagement n'a rien de menaçant. Vous n'avez pas de marge de manœuvre puisque ce sont ses règles qui contrôlent la relation. Vous essayez donc de lui donner tout l'espace vital qu'il réclame, mais cela prend le vôtre et ne donne pourtant pas de résultat.

Son ordre du jour :

Son besoin d'espace à lui l'accable. Il est submergé par la peur de le perdre. La moindre gentillesse lui donne l'impression d'être accaparé. Il a l'impression d'étouffer en votre présence. Il aspire à être libre. Tout est prétexte dans vos indulgences pour qu'il vous qualifie de geôlière.

Des réactions avisées :

Selon lui, vous ne faites rien qui vaille. Même si vous souhaitez l'apaiser en lui donnant plus d'espace pour se mouvoir, l'idée même que vous êtes en position de contrôle ne fait que confirmer votre statut de geôlière et le remet en rage.

Au contraire, prenez votre espace et prenez-en le plus possible, bien que cela aille à l'encontre de ce que vous voudriez le plus, mais trouver une solution ensemble est justement impossible.

Votre position est difficile et vous souffrez. Il n'est pas aisé d'oublier ce à quoi vous teniez et d'occuper seule l'espace que vous réserviez aux deux.

Vous avez besoin de recul pour réévaluer la situation et vous-même.

4. Il ne vient pas aux rendez-vous et modifie sans cesse vos plans.

Vos réactions possibles :

Cette modification vous met dans la confusion. Vous auriez besoin d'une franche explication. Pourquoi vous a-t-il fixé un rendez-vous s'il n'avait pas envie de vous voir ? Pourquoi vous appelle-t-il s'il ne veut pas vous parler ? Votre jugement est embrouillé et votre amour-propre est dévasté.

Vous avez investi sentiment et énergie pour cet homme et vous voulez qu'il redevienne comme au début. Entre la colère froide et le maternage, vous essayez de le ramener mais rien ne semble fonctionner.

Son ordre du jour:

Son esprit lui dit qu'il se sentira moins coupable et moins perturbé s'il parvient à vous convaincre qu'il ne vous aime pas — de la même manière dont il a réussi à vous convaincre du contraire au début. Il essaie de vous reprendre tout ce qu'il vous a donné. Souvenez-vous des sensations qu'il vous inspirait alors: la sécurité, l'amour et une chaude intimité. Tristement, cela appartient au passé.

C'est parce que la relation est parvenue à un niveau qui demande l'engagement que son système est sur l'alarme. Son stress est tellement entêtant qu'il ne peut même plus penser. Il se débat pour trouver la sortie.

Dans les entrevues, tous les phobiques m'ont déclaré qu'ils étaient en colère contre leur amie parce qu'elle avait réussi à faire vibrer leur cœur de manière très intense. Ils reconnaissaient l'irrationnel de leur réaction mais la vivaient tout de même.

Des réactions avisées:

Reconnaissez la phobie en action et réalisez que vous ne pouvez rien pour le faire changer et demeurer en relation. Ne vous préoccupez pas de ce dont il aurait besoin pour se sentir mieux. Ne gaspillez pas votre énergie en échafaudant des plans pour trouver une solution. Votre seule solution — et c'est un leitmotiv — est de garder des distances ou de partir.

5. Il est, la plupart du temps, de mauvaise humeur, et il en rejette la faute sur quelque chose ou quelqu'un.

Vos réactions possibles :

Vous êtes en complet désarroi parce que vous croyez ce que le phobique vous dit. Vous le croyez parce que vous le souhaitez. Nous sommes responsables de nos attitudes et croyances. Quand il vous dit que vous n'êtes pas la raison de sa mauvaise humeur, cela vous fait penser qu'il y a autre chose en cause. Vous arrivez à dramatiser comme il le fait et, pour apaiser la situation, vous devenez exagérément compréhensive et tolérante, sans égard pour vous.

Son ordre du jour :

Son scénario se déroule ainsi. Il a mentalement décidé de vous quitter, mais sa décision est marquée de points d'interrogation. Il se sait coupable mais il n'est pas vraiment « responsable ».

Il sait mieux que quiconque que vous n'avez aucun tort et que votre seule faiblesse réside dans votre désir de vous installer avec lui dans une relation permanente. Il est conscient que ce lien entre vous est son calvaire sans que vous soyez le bourreau. Il n'a aucune intention de discuter de son problème avec vous parce que, s'il le fait, vous tenteriez de trouver une solution et il se trouverait enchaîné à nouveau.

Il se peut qu'à l'heure actuelle il cherche à rencontrer ou qu'il ait déjà rencontré une autre femme. La confusion qui en découle alimente sa mauvaise humeur. Peu importe l'existence de cette autre femme, elle n'est là que pour soutenir sa décision de vous quitter.

Des réactions avisées :

Pourquoi vous montrer si indulgente ? Vos sentiments deviennent inversement proportionnels aux siens et cela vous empêche de vous mettre à sa place et de comprendre sa situation dans la relation. Lui, il ne pense qu'à se séparer de vous, vous désirez qu'un lien vous unisse ; voilà bien ce qui vous sépare.

6. Ses messages contradictoires vous troublent. D'un côté, il vous rejette avec dureté et vous critique sans merci ; de l'autre, il se conduit d'une manière sentimentale et approuve tout ce que vous dites.

Vos réactions possibles :

Vous êtes accrochée à ses bonnes paroles afin de nourrir votre espoir. Lorsqu'il vous éconduit par ses gestes et ses paroles, vous attendez que le mauvais moment passe. Vous êtes certainement peinée, déprimée, angoissée, désorganisée et malheureuse, mais vous persistez.

Son ordre du jour :

Il a des sentiments pour vous, c'est indéniable. Il se rappelle certainement vos bons moments ensemble, même s'il projette de vous quitter pour toujours. Pourtant, ses souvenirs réapparaissent avec tant d'insistance qu'il ne peut se résoudre à une rupture nette, ici, maintenant.

Il ne peut plus ni avancer ni reculer. Alors, il valse sur le thème hésitation.

Lorsqu'il est loin de vous, son angoisse disparaît mais vous lui manquez. Par contre, vous voir provoque son réflexe de fuite. Il vous envoie des signaux confus, car ses sentiments le sont.

Des réactions avisées :

Ne lui demandez pas pourquoi il est si contradictoire. N'interprétez pas ses gestes comme s'ils étaient entrepris en toute connaissance de cause. Enfin, ne vous imaginez pas que si vous persistez dans cette relation, il vous récompensera d'un amour durable.

Si vous avez atteint ce point de rupture, vous avez pris l'habitude de donner trop et de recevoir si peu que vous êtes dévastée. Tâchez de ne pas vous piller davantage. Entreprenez ce qu'il faut pour rompre avec lui sur le plan émotionnel d'une manière aussi positive et saine que possible.

Ne commettez pas l'erreur de prendre l'intimité qui existait pour de l'amitié. Il ne peut pas vous soutenir dans les problèmes émotionnels que cette relation vous crée. Vous êtes sans lui, affrontez-le.

Son dévolu vous est retiré et vous devez œuvrer en vous-même pour lui retirer le vôtre. Aimez-vous assez pour ne plus l'aimer trop.

7. Votre relation sexuelle est au point mort et il en attribue la faute au surmenage, aux difficultés ou à la maladie. Cela sous-entend que si vous étiez vraiment compréhensive, vous accepteriez la crise.

Vos réactions possibles :

Vous avez de la peine, vous vous sentez rejetée et vous êtes en complet désarroi car vos désirs à vous persistent.

Son ordre du jour :

L'abstinence est ce qu'il réservait pour son dernier acte. Il ne peut pas faire l'amour avec vous pour ne pas se réattacher. Il craint aussi par ce geste que vous concluiez à une amélioration de la relation. Sa décision est trébuchante mais elle va progressivement s'étendre sur d'autres aspects pour signifier que son abstinence a d'autres sources que vous. Le phobique ne ferme jamais la porte. Il attend que vous le fassiez et celle-ci est la dernière.

Des réactions avisées :

Vous aiderais-je si je vous disais que presque toutes les femmes interrogées ont vécu au moins une fois ce rejet ? Cela fait partie de la panoplie du phobique.

N'essayez pas de le séduire ni de le faire changer d'avis, parce que :

- Si vous essayez de le gagner et que votre expérience rate — ce qui est plus que probable — vous serez déchirée.
- Les femmes ayant réussi m'ont toutes confié que leur ami a pris la fuite presque aussitôt après, ce qui a mis un terme définitif à la relation.

Il s'agit de son problème et non du vôtre. Ne vous sentez pas rejetée. Ce n'est pas la réalité. Ne souffrez pas sur de fausses interprétations. Aimez-vous au point de demeurer lucide.

8. Il ne veut rien faire et rien dire pour améliorer la relation.

Vos réactions possibles :

Vous vous imaginez encore que si vous arriviez à dialoguer avec lui, la relation serait sauvée.

Son ordre du jour :

Il ne veut rien entreprendre. Parler ne fait qu'amplifier sa crainte que vous trouviez une solution. Dans son esprit, il est un condamné à mort dont vous êtes le bourreau. Cette comparaison peut vous sembler exagérée, pourtant elle est son expérience.

Des réactions avisées :

Il n'y a rien à discuter parce qu'il n'y a rien à changer. De la même manière que si votre ami était atteint d'une maladie, sa phobie de l'engagement ne vous est pas davantage imputable. Ne l'excusez pas, ne vous blâmez pas. Observez la réalité d'une phobie en action : celle de la peur d'aimer. Prenez enfin soin de vous.

10

Acte final: La disparition. Vous êtes déchirée.

L'homme qui vous fait souffrir n'est pas un barbare inconnu. Il s'agit d'un homme sous l'emprise d'une peur si gigantesque de s'ouvrir à l'amour qu'il refuse ce qui d'autre part est pour lui primordial. Vous êtes d'autant sa victime qu'il serait enclin à s'attacher à vous. La triste fin de votre histoire est la plus mauvaise scène qu'un phobique de l'engagement joue avant sa grande relâche. Peu importe la manière dont il battra la coulpe, il en arrivera à la fin, une fin effilochée, reprise et ratée, mais une fin enfin.

L'homme qui va partir rompt par provocation, par retraite progressive et successive ou par la fuite à l'anglaise.

Peu importe sa méthode individuelle, il fait en sorte que celle qui l'aime entre dans un de ces rôles ou dans tous simultanément: ceux de mère, de thérapeute et de meilleure amie. A titre de mère, vous lui faites ses valises. En qualité de thérapeute, vous lui demandez s'il désire vraiment partir. En meilleure amie, vous le reconduisez plutôt que de l'éconduire.

Lorsqu'il vous place dans ces rôles et que vous y répondez, vous placez son bien-être au-dessus du vôtre. Vos besoins sont abolis. Vous laissez s'inverser une situation qui lui permet de profiter de vous jusqu'au dernier moment alors que vous devriez vous donner la priorité de vos égards. Lorsque vous vous retrouvez sans lui, la réalité vous apparaît. Vous êtes dans un état de confusion dramatique qui rend la période de récupération difficile. C'est votre lucidité tout au long du parcours qui vous fera éviter ces souffrances inutiles.

1. Il vous provoque, vous cherche querelle et se conduit d'une manière infâme.

Vos réactions possibles :

> «Je n'en reviens pas d'avoir supporté tout cela... Il a commencé à voir d'autres femmes, et de plus en plus, tandis qu'il s'occupait de moins en moins de moi. Malgré cela, lorsque je lui demandais s'il cherchait à rompre, il répondait toujours non. C'était comme si je sortais avec un homme marié. Je ne savais jamais quand j'allais pouvoir le voir. J'ai essayé de rompre une ou deux fois, mais il me disait qu'il m'aimait. Il reconnaissait qu'il ne savait pas comment je pouvais le supporter. Je pleurais et lui demandais encore s'il désirait en finir, mais il répondait toujours non. Il me laissait entendre qu'il avait besoin de plus de temps. Il m'appe-

lait chaque jour et je pensais qu'il changerait. Un jour, j'ai téléphoné chez lui. Une femme m'a répondu qu'il était en train de prendre sa douche. Je me suis sentie humiliée. C'en était trop, je n'en pouvais plus. Je refusai de le revoir et, cette fois, ce fut sans retour. »

Lorsque le phobique vous maltraite à ce point, vous êtes malheureuse, écœurée, trop désemparée pour même vous défendre. A peine a-t-il refermé la porte, vous êtes seule et vous pensez, bien sûr, aux émouvants premiers rendez-vous. Vous vous demandez : « Pourquoi a-t-il cessé de m'aimer ? »

Son ordre du jour :

Au tréfonds, il sait qu'il vous harasse pour que la ficelle casse. Qu'il soit entièrement ou partiellement conscient de ce qu'il fait, sa motivation est la même : quitter pour être soulagé, mais que ce soit vous qui en preniez l'initiative. Il sait ce qui vous mène au point de non-retour. Quelques-uns en témoignent :

« J'ai amené Joan à l'appartement de Donna et nous avons fait l'amour pendant que Donna était au bureau. Donna l'a découvert, bien sûr, mais je pense que ce qui l'a dérangée le plus, c'est que j'ai laissé Joan porter son peignoir. Je ne peux pas croire que j'aie pu être stupide à ce point-là ! »

« Je ne me suis pas même donné la peine de dissimuler mes fredaines. Elle les a découvertes et m'a rendu à juste titre la monnaie de ma pièce. »

« Je l'ai quittée la veille du Nouvel An pour aller dans une fête que ma sœur donnait. Je savais qu'elle exploserait. C'est exactement ce qui s'est produit... »

« Je la critiquais tout le temps, je ne sais trop pourquoi. Un soir, elle m'a préparé un dîner pour mon anniversaire. Elle avait vraiment mis les petits plats dans les grands et me fit trois cadeaux que j'ai beaucoup appréciés, puis nous avons fait l'amour. Après, je suis allé dans la cuisine. Elle avait laissé traîner la vaisselle sale avec le gâteau d'anniversaire sur la table. Je lui ai fait remarquer combien ce désordre m'irritait. Elle est devenue littéralement furieuse. Je reste persuadé que si elle l'avait voulu, elle aurait trouvé le temps de ranger tout ça. Je pense en fait qu'il valait mieux que nous nous séparions. Dans le fond, nous étions trop différents... »

« J'ai loué un nouvel appartement et, pour une raison ou une autre, je ne l'ai pas laissée le visiter. Je ne sais vraiment pas pourquoi, mais je n'ai pas voulu la voir là. Un soir, elle a sonné finalement à ma porte et, lorsque j'ai ouvert, elle a jeté tous mes vêtements sur le plancher. »

Des réactions avisées :

Si votre décision a été de le quitter, non seulement vous avez réalisé ce qu'il vous poussait à faire, mais vous vous êtes respectée.

2. Il effectue un retrait si total (il peut même déménager) que la relation meurt d'usure.

Vos réactions possibles :

« Nous avons passé tous les stades… accès de fureur, bagarres, réconciliations… mais cela a fini par craquer parce que cela ne menait à rien. Il a commencé à moins me voir pour toutes sortes de raisons. Puis il a loué une maison de vacances avec des copains et m'a dit qu'il n'y avait pas de place pour les invités — moi y compris. Malgré cela, il niait qu'il faisait tout pour m'exclure. Il nous fallut près d'un an pour en arriver à un point où il ne restait plus rien. Je ne me souviens même plus de la façon dont tout s'est terminé. »

Son comportement vous mène à n'avoir plus de place dans la relation, qui se défait de jour en jour. Vous agissez comme une femme dont le fidèle mari est parti au loin gagner le pain. Vous espérez malgré l'évidence encore un changement. Lorsque ce dernier manque de se produire, vous avez tellement l'habitude d'être en suspens que vous êtes sans vie personnelle.

Son ordre du jour :

Etant donné qu'il se sent paralysé par la peur et la culpabilité, il espère simplement que votre liaison s'évanouisse. Il donne juste ce qu'il faut pour la maintenir moribonde :

« Je ne sais pas. Il me faut du temps… »

« Je vais voir comment mon travail fonctionne… Tout dépend de mon éventuelle promotion. »

> « Je suis trop jeune pour m'engager... On verra l'an prochain... »

> « Je suis trop vieux. Je ne sais pas si je peux encore recommencer, mais on ne sait jamais, demain je penserai peut-être différemment. »

> « Mon nouvel emploi se trouve à 2 000 km, mais ça ne veut pas dire que nous ne pourrons plus nous voir... »

Le leitmotiv est « demain ». Cela ne signifie pas qu'il s'attende sérieusement à changer demain. Cela veut dire qu'il est *incapable* de mettre un terme à la relation aujourd'hui. Il s'attend que vous deviniez que rien ne va changer — sauf pour le pire. Lorsque vous continuez à vous accrocher, il ne se sent absolument pas responsable de la peine qu'il vous fait. Même s'il réalise que vous avez mis votre vie au point mort dans l'attente qu'il retrouve ses esprits, il n'est pas touché. Il veut que la distance et le temps usent le peu qui reste de la relation.

Des réactions avisées :

Lorsqu'un homme effectue une retraite stratégique graduelle, une compagne lucide ne se laisse pas paralyser dans une relation qui s'érode malgré elle, autrement, ce serait la preuve qu'elle n'a plus d'amour ni de respect pour elle-même. C'est maintenant l'ultime moment de vous ressaisir. Faites des plans où vous êtes prioritaire et retrouvez vos relations gratifiantes.

3. Il ne rappelle plus et disparaît puis reparaît d'une manière étrange et destructrice.

Vos réactions possibles :

> « C'est terrible, mais c'est ce qui est arrivé. Nous étions censés nous fiancer lorsqu'il a commencé à sortir avec une collègue de travail. Par conséquent, j'ai mis un terme à notre relation. Il s'est ensuite présenté à ma porte en larmes, en me disant combien il regrettait son geste et combien il m'aimait. Je l'ai cru, et nous avons recommencé à nous voir. Deux semaines plus tard, il ne m'a plus appelée et je ne parvenais pas à le joindre. Je me rendis alors chez lui, mais il était absent. Je recommençais à m'inquiéter. Je continuais à l'appeler sans succès. Je parvins finalement à le joindre au travail. Il me déclara qu'il ne pouvait plus me voir, car il avait décidé de reprendre la vie commune avec l'une de ses anciennes maîtresses. Croyez-le ou non, je m'inquiétais encore pour lui. Je pensais qu'il était en dépression. J'ai même appelé sa mère... »

Lorsqu'un homme disparaît de manière aussi cavalière, vos sentiments oscillent entre l'inquiétude et la rage. Vous ne comprenez pas pourquoi il n'a pas la décence de vous faire face et de vous parler de ce qu'il ressent. Vous ne comprenez pas pourquoi il vous traite aussi inconsidérément. Mais qu'y a-t-il à comprendre ? Vous niez la réalité en espérant que la situation redevienne normale.

Il faut généralement beaucoup de temps

pour se remettre de tels chavirements. Vous vous sentez flouée, déconcertée, car il existe un côté onirique et même maléfique dans cette idylle dont la réalité semble abolie.

Son ordre du jour :

Il sait fort bien qu'il a poussé la relation aussi loin qu'il le pouvait dans les circonstances. Aucune relation sensée ne s'accorderait avec ses sentiments contradictoires. La disparition est donc sa seule issue :

> « Je ne pouvais plus supporter tout ce drame. Je me sentais mal. Je savais que j'aurais dû l'appeler, mais ne pouvais m'y résoudre ; alors j'ai mis la relation en veilleuse. Lorsque je remettais ma décision au lendemain, je croyais qu'à force de différer, j'en arriverais à ne plus être capable de prendre une décision. »

> « Je m'étais tellement avancé que mon seul salut résidait dans la fuite. Plus je la poursuivais de mes assiduités plus je m'enterrais. »

> « Je sais qu'un vrai homme se serait donné la peine de fournir quelque explication, mais comment aurais-je pu expliquer à quelqu'un avec qui, hier encore, je partageais une chaleureuse intimité, que tout était fini ? Appelez cela de la couardise, si vous voulez... Je me trouvais simplement dans l'impossibilité de faire face. »

Des réactions possibles :

Cet homme phobique que j'ai surnommé Houdini, en souvenir de l'artiste de *music-hall* que personne ne pouvait attacher ou retenir, a des comportements destructeurs. C'est lui qui, au départ, vous a demandé de lui lier pieds et mains mais, dès que vous avez commis cette imprudence, il disparaît. Lorsqu'il réapparaît, il est métamorphosé. Pas en son meilleur.

Apprenez à reconnaître ce genre d'homme et ses comportements phobiques.

Si vous avez survécu aux méandres douloureux de cette histoire d'amour, résistez à la tentation de dramatiser votre sort et le sien. N'ayez pas de complaisance envers votre douleur de le perdre. Ne ressassez pas ce qu'il a pu vous dire, ce que vous auriez pu ou dû faire ou qu'il aurait été possible de faire pour éviter ce fiasco. N'inventoriez pas toutes ses manières de vous blesser. Ouvrez simplement vos yeux... Il a peur d'aimer et vous l'avez aimé trop. C'est votre tour d'inventorier comment vous vous êtes laissé blesser et mal aimer. Cet homme est peut-être la route qui va vous mener vers vous.

C'est enfin terminé. Vous commencez à vous ressaisir. Il est temps de recommencer à vivre. Le pire semble appartenir au passé. Mais, d'un seul coup, voilà qu'une lettre arrive, que le téléphone sonne ou que quelqu'un frappe à votre porte. C'est encore lui, découragé, abattu, désespéré...

Il a commis une terrible erreur, l'erreur la plus abominable de sa vie. La simple idée de ne plus vous revoir lui est insupportable. Il vous demande d'accepter ses excuses, de lui donner une autre chance, et promet de changer. Vous êtes assommée. Vos plaies commençaient tout juste à cicatriser... les voilà réouvertes. Il vous dit tout ce que vous désiriez réentendre...

ARRÊTEZ LÀ et demandez-vous quelle est au juste son idée.

La triste vérité est probablement qu'il ne peut pas penser puisqu'il est submergé par ce qui l'anime. Dès qu'il s'est éloigné de vous, l'angoissante phobie a disparu. Sans elle, sans la peur, il a pu ressentir la perte de vous et de l'amour qu'il a pour vous. Le voilà donc revenu pour effacer son manque.

Mais il n'a pas changé. Il va vous courtiser comme il le faisait au début et élaborer à nouveau la relation, étape par étape, à un rythme condensé, jusqu'à ce qu'il craque.

S'il en est là, ce n'est pas une thérapie conjugale qui peut sauver votre relation déchirée par sa peur d'aimer. Il ne peut surmonter cette phobie que par un énorme et conscient labeur sur lui-même.

« Objets inanimés, avez-vous donc une âme ? »

Selon les témoignages de femmes ayant vécu ces déchirements, une fois que la rupture est consommée, l'homme refuse ou néglige fréquemment de leur rendre les affaires qu'elles ont laissées à son domicile — vêtements, livres, disques, etc. Merilee n'y a rien compris et le dit :

« Larry m'a abandonnée pour une autre. Je ne lui en ai pas tenu rigueur, bien que la façon dont il s'y soit pris était assez laide. J'avais laissé chez lui deux chemises de nuit, mon chapeau favori, ainsi qu'une veste. Deux jours avant que nous nous séparions, je lui avais prêté 50 $ parce que le guichet automatique de sa banque ne fonctionnait pas. Eh bien ! il a refusé de me rendre tout cela. Il gagne pourtant dix fois plus d'argent que moi et c'est ce que je ne comprends pas. Comme tout le monde, je tiens à mes affaires et, dans les circonstances, je trouve indélicat qu'il s'approprie mes quelques dollars. Je pensais qu'il se sentirait coupable et me paierait au moins sa dette, mais non... Je lui ai envoyé un mot, lui ai adressé une enveloppe timbrée, mais il ne fait rien et je ne sais vraiment pas pourquoi... »

Un vieux dicton dit que lorsque c'est fini, ça recommence ! Selon une manière tordue de réfléchir, il estime que vos affaires constituent une sorte de cordon qui le relie encore à vous. Il le sait et il sait que vous le savez. Il tient à ce que vous mainteniez le lien et que vous l'attendiez, juste en cas... Attendre quoi ? Il n'en a pas la moindre idée. Peut-être que la foudre le frappe et qu'il trouve enfin son chemin de Damas. Une fois de plus, il montre là son impossibilité de prendre une décision dans un sens ou dans un autre.

11

A vous de jouer

Sachez que vous ne pensez pas de la même manière que lui

Les choses qui vous sécurisent l'étouffent. Ce qui est pour vous de l'amour a le sens pour lui de piège. Trop souvent, le phobique s'enfuit parce que vous agissez comme vous aimeriez qu'il le fasse pour vous. L'amour le démolit tandis qu'il vous épanouit.

Marquez le tempo

Il peut être tentant de vous laisser emporter par ses fantaisies en lui laissant les rênes de votre aventure, mais le seul moyen d'éviter un scénario où sa phobie est la vedette et vous son accessoire, c'est que vous marquiez le tempo. Il veut vivre une furieuse histoire d'amour. Hélas ! ce n'est qu'en construisant lentement une relation que celle-ci a quelque chance d'être durable. Pourtant, quand tout se déroule trop rapidement, il prend peur. Il serait important pour lui et pour vous de prendre du temps pour vous confier, pour vous connaître, pour vous accorder de la confiance, pour faire l'amour. Si cet amour doit être le roman du siècle, il y aura toujours un siècle pour le vivre. Vous ne ratez rien en gardant fermement en main le déroulement du parcours. En fait, vous avez tout à gagner. S'il ne peut s'accommoder d'un tempo moins fébrile, cela signifie qu'il n'est pas disposé à ce que votre union dure.

Ayez les yeux ouverts

Nous voulons tous vivre une histoire d'amour romanesque mais, comme nous l'apprenons à nos dépens, trop de beaux romans se terminent mal. Le phobique de l'engagement est un incorrigible romantique perdu dans des tourments fictifs qui vous entraîne dans ses drames intimes. Peu importe combien le commencement est idyllique, la fin y est inscrite. Une relation viable naît, grandit et mûrit dans la réalité. Cela est vrai, même si la réalité est beaucoup moins chatoyante que le rêve et l'utopie. Si vous commencez à perdre le sens du possible, observez-vous lucidement pour retrouver la voie lucide.

Votre amour ne le changera pas, mais votre indépendance le peut

Il est si tentant de croire qu'il suffit d'être une femme vertueuse pour surmonter les pires obstacles, qu'aimer avec assez de force et d'oubli de soi apporte des récompenses, « aimer suffisamment » voulant dire être indulgente, fidèle, loyale... parfaite quoi. Combler d'amour un phobique le met dans un étau car, pour lui, s'ouvrir à l'amour est synonyme d'être enseveli sous la peur.

C'est votre indépendance qui lui donne son espace en même temps que le vôtre. C'est votre amour pour vous qui apaise ses peurs. Amour et indépendance non seulement ne s'excluent pas mutuellement, mais sont gages de santé pour les relations amoureuses.

Pas de pitié, s'il vous plaît!

Il vous est facile de prendre cet homme en pitié. Il a l'air si malheureux et si blessé, il a la mine d'un enfant triste. Vous en déduisez qu'il a besoin d'attention maternelle. Erreur! Pour lui, se faire materner est synonyme d'être obligé de s'engager.

Ne tombez pas dans son piège. Il est partenaire à part entière dans votre relation. Laissez-lui son rôle d'associé égalitaire.

Croyez ce qu'il fait, non ce qu'il dit

Le phobique de l'engagement est un homme de belles paroles et de pauvres actions. Apprenez à différencier les deux. Même si vous désirez croire en ce qu'il dit, vous ne devriez pas fonder votre vie (et encore moins la modifier!) sur le charme de son verbe, à moins qu'il ne l'appuie par des actes qui ont de la *substance*, c'est-à-dire qui sont tangibles et durables. S'il s'en garde, vous saurez que ses paroles n'étaient que des mots creux.

Donnez-vous la priorité

L'isolement social qui vous rend entièrement disponible à cette liaison n'est pas seulement antiproductif mais destructeur. Puisez dans la vie la santé qui vous fera regarder en face les aberrations de cette relation. Donnez-vous la priorité.

Ne rationalisez pas, soyez réaliste

Il a eu une enfance difficile... Sa mère était étouffante... On ne l'a pas assez aimé... On l'a trop aimé... Son travail est exigeant... Son travail est démotivant... Il n'a pas eu de chance avec son premier mariage... Son second mariage a été un fiasco... Il y aura toujours une excuse pour justifier le comportement d'un phobique de l'engagement. Ses problèmes psychologiques peuvent influencer son comportement, c'est vrai, mais ne le justifient aucunement. S'il vous blesse, ne rationalisez pas l'inacceptable. Peu importe les forces qui sous-tendent son comportement, vous n'êtes pas mandatée pour être sa psychologue. Ni pour pardonner. Ni pour oublier.

Vous n'êtes pas coupable, mais responsable...

Lorsqu'une relation de ce type s'effondre, certaines femmes sont enclines à en assumer la responsabilité et le blâme. Lorsque votre compagnon du moment est un phobique de l'engagement, sachez que les relations qu'il entretient avec toutes les femmes sont des échecs parce qu'il a peur d'aimer et non parce que vous êtes une partenaire exécrable. Ne vous condamnez pas pour ses impostures, mais prenez la responsabilité de votre présence dans cette relation et examinez ce qu'elle vous enseigne.

Faites votre centre en vous-même

Le centre de votre vie est en vous aujourd'hui comme toujours. Vous avez des priorités — famille, amis, travail, projets — qui attendent que vous preniez soin d'elles. La plus grande est vous-même. Vous ne devez pas vous en laisser détourner par son monde oblique.

Vous avez besoin d'espace, physiquement et émotionnellement. Lui aussi. Vous avez besoin d'indépendance — lui aussi. Ne vous attendez pas qu'il y renonce mais n'y renoncez pas non plus. Dans une relation qui aurait de l'avenir les compromis seraient profitables. Dans celle-ci, c'est en prenant appui sur votre centre et en faisant attention à vous que vous donnerez moins prise à ses angoisses phobiques et retrouverez toutes vos forces pour guérir.

Soyez assurée de pouvoir changer

Bien qu'il soit courant d'entendre « Je ne peux pas changer », il est ironique de constater que les femmes qui l'affirment sont justement celles qui se transforment dans un effort surhumain pour devenir la parfaite épouse, amante et mère que le phobique semble rechercher. En d'autres termes, elles cessent d'être elles-mêmes dès qu'elles commencent à se donner à cette relation malade. Si vous êtes l'une de ces femmes, vous savez que vous avez pu *vraiment* changer... mais d'une manière négative.

De la même manière, vous pouvez effectuer des changements positifs et heureux, qui vous respecteront véritablement. Si vous vous ouvrez à l'amour en vous pour vous-même, vous en aurez pour votre compagnon, mais ce sera un amour solide, sain, qui décuplera vos possibilités de vivre une relation à long terme... Sans doute vous ne choisirez plus un phobique, ou alors vous trouverez un phobique guéri, car si vous avez la capacité de changer il l'a aussi. Il vous appartient de reconnaître s'il est arrivé à ce moment où sa phobie ne peut plus durer sans le détruire, qu'il veut et qu'il fera tout en son pouvoir pour la guérir. Votre lucidité est votre pouvoir. En toutes les étapes de cette relation sinueuse et malsaine, c'est votre discernement des faits au-delà des mots qui vous gardera maîtresse de vous-même et probablement le stimulera à devenir maître de sa peur d'aimer.

TROISIÈME PARTIE

Le traitement de la peur d'aimer comme phobie de l'engagement

Au fil des pages de ce livre, la phobie de l'engagement s'est découverte comme une maladie dont la symptomatologie physique et psychologique doit être considérée et peut être traitée.

Psychanalyse et psychothérapie

L'approche psychanalytique du traitement de la phobie se fonde sur la supposition que les phobies se développent lorsque des angoisses refoulées font soudainement surface. Elles proviennent de vieux conflits émotionnels non résolus, réprimés, ayant pris racine dans l'enfance à cause d'abus sexuels ou de gestes de nature agressive.

Les psychanalystes estiment que lorsque ces conflits sont identifiés et résolus, la phobie ne tarde pas à disparaître. Le travail du praticien consiste à aider le patient à explorer les profondeurs de son passé émotionnel à la recherche des conflits enfouis dans son subconscient et à l'aider à les dompter dès qu'il les découvre.

La psychanalyse peut prendre des années, mais d'autres techniques psychothérapeutiques produisent souvent des résultats positifs dans un laps de temps relativement court.

Modification du comportement

Les thérapeutes du comportement, qu'on appelle également behavioristes, estiment que le meilleur moyen de supprimer les phobies est d'abord d'en traiter les symptômes et non de remonter à la source présumée de ces derniers. La théorie sous-jacente aux différentes techniques est que l'on peut réduire ou éliminer l'angoisse phobique si le patient se trouve progressivement exposé à la cause de son angoisse (dans des conditions strictement contrôlées). Les techniques behavioristes les plus connues sont les suivantes :

Désensibilisation systématique

Le but d'une désensibilisation systématique est de réduire l'angoisse grâce à une confrontation constante du problème et en utilisant une consolidation positive de la personnalité. Lorsque des patients subissent une désensibilisation systématique, la première chose qu'ils apprennent est comment supprimer leur angoisse par des techniques de respiration profonde, de méditation, de contrôle musculaire, ainsi que d'autres moyens de relaxation. Ensuite le patient est placé dans une série de situations angoissantes de manière qu'il établisse une gradation dans ses affrontements et ses peurs.

De concert avec le thérapeute, on ordonne au patient d'imaginer chacun des scénarios possibles — un seul à la fois — de manière à augmenter ses craintes. A chaque étape, on lui demande d'appliquer les diverses méthodes de relaxation pour neutraliser son angoisse. Si le patient devient angoissé au point de ne plus pouvoir se contrôler, on retourne à un scénario moins menaçant quitte à recommencer ensuite la progression. Le patient devrait être en mesure d'imaginer la pire situation tout en gardant son calme. Il répétera ce procédé autant de fois que cela sera nécessaire, afin de fortifier le contrôle de soi. On espère qu'il puisse faire face à tous les scénarios stressants sans être pris de panique.

Pour un homme qui a peur de s'engager, la confrontation avec les relations interpersonnelles progresse du scénario le moins effrayant à celui qui lui cause un maximum d'épouvante :

— Etre présenté à une femme ;
— Demander pour la première fois à une femme de sortir avec lui ;
— Se rendre à un premier rendez-vous ;
— Sortir plusieurs fois avec la même femme ;
— Avoir des relations sexuelles ;
— Entretenir une relation monogame ;
— Cohabiter ;
— Se fiancer ;
— Se marier ;
— Avoir des enfants.

Désensibilisation *in vivo*

Pour de nombreux phobiques, la désensibilisation *in vivo* constitue une méthode plus efficace pour neutraliser les angoisses causées par leur phobie. Au lieu de se représenter mentalement les scénarios dans une sorte de hiérarchie de peurs, le thérapeute encourage le patient à se placer lui-même dans de telles situations et à progresser lentement vers le sommet de l'échelle. Lorsqu'on applique une telle méthode au traitement de la phobie de l'engagement, la thérapie soutient le patient à progresser lentement vers les divers degrés menant à une relation monogame — le tout, bien entendu, avec la collaboration de la compagne.

Tout comme dans la désensibilisation systématique, on a recours aux techniques de relaxation afin de maîtriser l'angoisse à chaque niveau de la confrontation.

Immersion et implosion

Deux autres types de thérapies behavioristes — par immersion et par implosion — sont couramment utilisées. La théorie qui sous-tend ces deux formes de modification du comportement repose sur le fait que le meilleur moyen de surmonter ses craintes est encore de les affronter carrément et de les vivre au lieu de tenter de les neutraliser ou de les expliquer.

Dans la thérapie par immersion, sous la surveillance du thérapeute, le patient est confronté pendant une période de temps prolongée à l'élément déclencheur de sa phobie. Ainsi, si un homme a peur de s'engager, le thérapeute l'encourage à faire directement face à sa panique en lui demandant de s'engager, par exemple, dans une relation monogame (la collaboration de la partenaire est impérative). On l'empêche de fuir ou d'abandonner ses efforts. On espère ainsi que l'angoisse sera domptée par le patient, qui n'en souffrira plus.

Dans la thérapie par implosion, le thérapeute demande au patient d'affronter ses craintes en l'effrayant volontairement pendant un laps de temps prolongé. On ne lui permet pas de pleurer ou d'arrêter le traitement, car ces deux moyens constituent des tentatives de fuir ses responsabilités. Théoriquement, les résultats devraient être similaires à ceux de la thérapie par immersion : la disparition de l'angoisse, une sensation d'épuisement et l'abolition de la phobie.

Autres techniques behavioristes

Parmi les autres thérapies de la modification du comportement on trouve l'hypnothérapie, la respiration consciente, les exercices de relaxation, la thérapie par modèles et le *biofeedback* (rétroaction psychologique). Le patient devrait discuter des différents avantages de ces techniques avec son ou sa thérapeute.

Administration de médicaments

La plupart des phobies (sinon la totalité d'entre elles) comportent certains éléments de nature physiologique dont les facteurs sont encore mal connus. On émet même l'hypothèse que certains individus possèdent une prédisposition d'ordre physiologique. Il existerait en eux un mécanisme hypersensible déclencheur d'angoisse qui les rendrait beaucoup plus enclins à souffrir de ces problèmes. Les docteurs David Sheehan, Harold Levinson et Steven Carter évoquent ces possibilités dans deux ouvrages récents parus aux Etats-Unis : *The Anxiety Disease* (Scribner, éditeur, 1983) et *Phobia Free* (Evans, éditeur, 1986).

A la lumière de ces découvertes, de nombreux psychiatres ont obtenu d'excellents résultats en recourant à l'usage de médicaments et de suppléments diététiques. Il importe de discuter de la valeur de ces traitements avec un ou plusieurs médecins et l'on ne devrait jamais les entreprendre sans la surveillance de spécialistes du corps médical. L'usage de médicaments ne devrait d'ailleurs pas éliminer toute autre forme de psychothérapie.